Napoleón Bonaparte

Disfruta de todos nuestros libros gratis...

  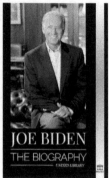

Interesantes biografías, atractivas presentaciones y más.
Únete al exclusivo club de críticos de la Biblioteca
Unida!
Recibirás un nuevo libro en tu buzón cada viernes.
Únase a nosotros hoy, vaya a:
https://campsite.bio/unitedlibrary

Introducción

Napoleón Bonaparte fue un general militar francés, el primer emperador de Francia y uno de los más grandes líderes militares del mundo.

Napoleón revolucionó la organización y el entrenamiento militar, patrocinó el Código Napoleónico, reorganizó la educación y estableció el longevo Concordato con el papado.

"El coraje no es tener la fuerza para seguir adelante, sino cuando no tienes fuerza." - Napoleón Bonaparte

Esta es la biografía descriptiva y concisa de Napoleón Bonaparte.

Índice

Napoleón Bonaparte

Napoleón Bonaparte (15 de agosto de 1769 - 5 de mayo de 1821) fue un estadista y líder militar francés que dirigió muchas campañas exitosas durante la Revolución Francesa y las Guerras Revolucionarias Francesas, y fue Emperador de los Franceses (como Napoleón I) desde 1804 hasta 1814 y nuevamente brevemente en 1815 durante los Cien Días. Napoleón dominó los asuntos europeos y mundiales durante más de un decenio mientras dirigía a Francia contra una serie de coaliciones durante las guerras napoleónicas.

Ganó muchas de estas guerras y la gran mayoría de sus batallas, construyendo un gran imperio que gobernó sobre gran parte de la Europa continental antes de su colapso final en 1815. Napoleón es considerado como uno de los más grandes comandantes militares de la historia, y sus guerras y campañas se estudian en las escuelas militares de todo el mundo. Su legado político y cultural lo ha convertido en uno de los líderes más célebres y controvertidos de la historia de la humanidad.

Nacido Napoleón de Buonaparte (italiano: [napole'o:ne di ˌbwɔna'parte]) en Córcega unos meses después de que la joven república independiente fuera anexionada por el Reino de Francia, la modesta familia de Napoleón descendía de la pequeña nobleza italiana. Estaba sirviendo como oficial de artillería en el Ejército Real Francés cuando estalló la Revolución Francesa en 1789. Ascendió rápidamente en las filas del ejército, aprovechando las nuevas oportunidades que ofrecía la Revolución y convirtiéndose en general a la edad de 24 años.

El Directorio francés le dio el mando del Ejército de Italia después de que reprimiera la revuelta de los 13 Vendémiaire contra el gobierno por los insurgentes realistas.

A la edad de 26 años, comenzó su primera campaña militar contra los austríacos y los monarcas italianos alineados con los Habsburgo en la Guerra de la Primera Coalición, ganando prácticamente todas las batallas, conquistando la Península Italiana en un año mientras establecía "repúblicas hermanas" con apoyo local, y convirtiéndose en un héroe de guerra en Francia.

En 1798, dirigió una expedición militar a Egipto que sirvió como trampolín al poder político. Orquestó un golpe de estado en noviembre de 1799 y se convirtió en Primer Cónsul de la República. Después de la paz de Amiens en 1802, Napoleón dirigió su atención a las

6

colonias de Francia. Vendió el territorio de Luisiana a los Estados Unidos e intentó restaurar la esclavitud en las colonias francesas del Caribe.

Sin embargo, si bien logró restablecer la esclavitud en el Caribe oriental, Napoleón fracasó en sus intentos de someter a Santo Domingo, y la colonia de la que Francia se jactaba orgullosamente de ser la "Perla de las Antillas" se independizó como Haití en 1804.

La ambición de Napoleón y la aprobación pública le inspiraron para ir más lejos, y se convirtió en el primer emperador de los franceses en 1804. El equilibrio de poder en Europa se rompió, las diferencias intratables con los británicos significaron que los franceses pronto se enfrentaron a una Tercera Coalición en 1805. Napoleón salió triunfante de esta coalición con victorias decisivas en la Campaña de Ulm y un éxito histórico sobre el Imperio Ruso y el Imperio Austriaco en la Batalla de Austerlitz que llevó a la disolución del Sacro Imperio Romano Germánico.

Napoleón formó la alianza franco-persa y quiso restablecer las alianzas franco-indias con el emperador indio musulmán Tipu Sultan proporcionando un ejército entrenado por franceses durante las guerras anglo-misteras, con el objetivo continuo de tener una eventual vía abierta para atacar a los británicos en la India.

En 1806, la Cuarta Coalición se alzó en armas contra él porque Prusia se preocupaba por la expansión continental francesa. Napoleón derrotó rápidamente a Prusia en las batallas de Jena y Auerstedt, luego marchó con su *Gran Armada a las profundidades de* Europa del Este y aniquiló a los rusos en junio de 1807 en la batalla de Friedland. Francia obligó entonces a las naciones derrotadas de la Cuarta Coalición a firmar los Tratados de Tilsit en julio de 1807, trayendo una paz incómoda al continente. Tilsit significaba la marca de agua alta del Imperio Francés.

En 1809, los austriacos y los británicos desafiaron de nuevo a los franceses durante la Guerra de la Quinta Coalición, pero Napoleón solidificó su dominio sobre Europa después de triunfar en la Batalla de Wagram en julio.

Napoleón ocupó entonces la Península Ibérica, con la esperanza de extender el sistema continental y cortar el comercio británico con el continente europeo, y declaró a su hermano José Bonaparte Rey de España en 1808. Los españoles y los portugueses se rebelaron con el apoyo británico. La Guerra Peninsular duró seis años, incluyó una extensa guerra de guerrillas y terminó con la victoria de los aliados en 1814.

El Sistema Continental causó recurrentes conflictos diplomáticos entre Francia y sus estados clientes, especialmente Rusia. Los rusos no estaban dispuestos a soportar las consecuencias económicas de la reducción del comercio y violaban rutinariamente el Sistema Continental, incitando a Napoleón a otra guerra. Los franceses lanzaron una gran invasión a Rusia en el verano de 1812. La campaña destruyó ciudades rusas, pero no dio la victoria decisiva que Napoleón quería. Resultó en el colapso del *Gran Ejército* e inspiró un renovado empuje contra Napoleón por parte de sus enemigos.

En 1813, Prusia y Austria se unieron a las fuerzas rusas en la Guerra de la Sexta Coalición contra Francia. Una larga campaña militar culminó con un gran ejército aliado que derrotó a Napoleón en la batalla de Leipzig en octubre de 1813, pero su victoria táctica en la pequeña batalla de Hanau permitió la retirada a suelo francés.

Los aliados invadieron Francia y capturaron París en la primavera de 1814, obligando a Napoleón a abdicar en abril. Fue exiliado a la isla de Elba en la costa de la Toscana, y la dinastía Borbónica fue restaurada en el poder.

Napoleón escapó de Elba en febrero de 1815 y tomó el control de Francia una vez más. Los aliados respondieron formando una Séptima Coalición que lo derrotó en la batalla de Waterloo en junio. Fue exiliado a la remota isla británica de Santa Helena en el Atlántico Sur, donde murió seis años después a la edad de 51 años.

La influencia de Napoleón en el mundo moderno trajo reformas liberales a los numerosos territorios que conquistó y controló, como los Países Bajos, Suiza y grandes partes de la Italia y Alemania modernas. Aplicó políticas liberales fundamentales en Francia y en toda Europa Occidental. Su Código Napoleónico ha influido en los sistemas legales de más de 70 naciones alrededor del mundo.

El historiador británico Andrew Roberts afirma: "Las ideas que sostienen nuestro mundo moderno - la meritocracia, la igualdad ante la ley, los derechos de propiedad, la tolerancia religiosa, la educación secular moderna, las finanzas sanas, etc. - fueron defendidas, consolidadas, codificadas y extendidas geográficamente por Napoleón. A ellos añadió una administración local racional y eficiente, el fin del bandolerismo rural, el fomento de las ciencias y las artes, la abolición del feudalismo y la mayor codificación de las leyes desde la caída del Imperio Romano".

"Tómese el tiempo para deliberar, pero cuando llegue el momento de la acción, deje de pensar y entre". - Napoleón Bonaparte

La vida temprana

La familia de Napoleón era de origen italiano: sus antepasados paternos, los Buonapartes, descendían de una familia noble toscana menor que emigró a Córcega en el siglo XVI; mientras que sus antepasados maternos, los Ramolinos, descendían de una familia noble menor genovesa.

"Soy más italiano, o toscano, que corso", decía Napoleón y muchos descendientes de los colonos italianos en Córcega se consideraban como tales, pero nada los relacionaba con las aldeas que consideraban la "patria", la tierra que sus antepasados habían dejado para establecerse en las ciudades corsas. Puede que se presentaran como continentales por un deseo de honor y distinción, pero esto no prueba que fueran realmente tan extranjeros como ellos mismos a menudo imaginaban.

Podemos decir que se apegaron más a sus orígenes italianos a medida que se alejaban cada vez más de ellos, integrándose cada vez más profundamente en la sociedad corsa a través de los matrimonios. Esto era tan cierto para los Buonapartes como para cualquiera relacionado con las nobilidades genovesas y toscanas en virtud de títulos que eran, a decir verdad, sospechosos.

Los Buonapartes eran también parientes, por matrimonio y por nacimiento, de los Pietrasentas, Costas, Paraviccinis y Bonellis, todas familias corsas del interior. Sus padres Carlo Maria di Buonaparte y Maria Letizia Ramolino mantuvieron una casa ancestral llamada "Casa Buonaparte" en Ajaccio.

Napoleón nació allí el 15 de agosto de 1769, su cuarto hijo y tercer hijo. Un niño y una niña nacieron primero pero murieron en la infancia. Tuvo un hermano mayor, José, y hermanos menores Lucien, Elisa, Louis, Pauline, Caroline y Jérôme. Napoleón fue bautizado como católico. En su juventud, su nombre también se deletreó como *Nabulione, Nabulio, Napolionne,* y *Napulione*.

Napoleón nació el mismo año en que la República de Génova cedió Córcega a Francia. El Estado vendió los derechos de soberanía un año antes de su nacimiento en 1768, y la isla fue conquistada por Francia durante el año de su nacimiento y se incorporó formalmente como provincia en 1770, después de 500 años bajo el dominio genovés y 14 años de independencia.

Los padres de Napoleón se unieron a la resistencia corsa y lucharon contra los franceses para mantener la independencia, incluso cuando María estaba embarazada de él. Su padre era un abogado que fue nombrado representante de Córcega en la corte de Luis XVI en 1777.

La influencia dominante de la infancia de Napoleón fue su madre, cuya firme disciplina reprimió a un niño alborotador. Más tarde, Napoleón declaró: "El futuro destino del niño es siempre obra de la madre". La abuela materna de Napoleón se había casado en segundas nupcias con la familia Fesch de Suiza, y el tío de Napoleón, el cardenal Joseph Fesch, cumpliría durante algunos años un papel de protector de la familia Bonaparte. El origen noble y moderadamente rico de Napoleón le ofrecía mayores oportunidades de estudiar que las que tenía un corso típico de la época.

Cuando cumplió 9 años, se mudó al continente francés y se inscribió en una escuela religiosa en Autun en enero de 1779.

En mayo, se trasladó con una beca a una academia militar en Brienne-le-Château. En su juventud fue un nacionalista corso declarado y apoyó la independencia del estado de Francia. Como muchos corsos, Napoleón hablaba y leía el corso (como su lengua materna) y el italiano (como lengua oficial de Córcega). Comenzó a aprender francés en la escuela alrededor de los 10 años.

Aunque llegó a dominar el francés, hablaba con un acento corso distintivo y nunca aprendió a escribirlo correctamente. Sin embargo, no fue un caso aislado, ya que en 1790 se estimó que menos de 3 millones de personas, de los 28 millones de habitantes de Francia, eran capaces de hablar el francés estándar, y los que podían escribirlo eran aún menos.

Napoleón era intimidado rutinariamente por sus compañeros por su acento, su lugar de nacimiento, su baja estatura, sus manierismos y su incapacidad para hablar francés rápidamente. Bonaparte se volvió reservado y melancólico aplicándose a la lectura. Un examinador observó que Napoleón "siempre se ha distinguido por su aplicación en las matemáticas". Está bastante bien familiarizado con la historia y la geografía ... Este muchacho sería un excelente marinero". En su temprana edad adulta, tuvo la intención de convertirse en escritor; fue autor de una historia de Córcega y de una novela romántica.

Al terminar sus estudios en Brienne en 1784, Napoleón fue admitido en la *École Militaire* de París. Se entrenó para ser oficial de artillería y, cuando la muerte de su padre redujo sus ingresos, se vio obligado a completar el curso de dos años en un año. Fue el primer corso que se graduó en la Escuela *Militar*. Fue examinado por el famoso científico Pierre-Simon Laplace.

Los primeros años de la carrera

Al graduarse en septiembre de 1785, Bonaparte fue comisionado como subteniente en el regimiento de artillería de *La Fère*. Sirvió en Valence y Auxonne hasta después del estallido de la Revolución en 1789. El joven era todavía un ferviente nacionalista corso durante este período y pidió permiso para unirse a su mentor Pasquale Paoli, cuando éste fue autorizado a regresar a Córcega por la Asamblea Nacional. Sin embargo, Paoli no tenía ninguna simpatía por Napoleón, ya que consideraba a su padre como un traidor por haber abandonado su causa por la independencia de Córcega.

Pasó los primeros años de la Revolución en Córcega, luchando en una compleja lucha a tres bandas entre monárquicos, revolucionarios y nacionalistas corsos. Sin embargo, Napoleón llegó a abrazar los ideales de la Revolución, convirtiéndose en partidario de los jacobinos y uniéndose a los republicanos corsos pro-franceses que se oponían a la política de Paoli y a sus aspiraciones de secesión.

Se le dio el mando de un batallón de voluntarios y fue ascendido a capitán del ejército regular en julio de 1792, a pesar de haber excedido su permiso y haber dirigido un motín contra las tropas francesas.

Napoleón y su compromiso con la Revolución Francesa entraron así en conflicto con Paoli, que había decidido sabotear la contribución corsa a la Expedición *de Sardaigne*, impidiendo un asalto francés a la isla sarda de La Maddalena. Bonaparte y su familia se vieron obligados a huir al continente francés en junio de 1793 a causa de la ruptura con Paoli.

Aunque nació como "Napoleón de Buonaparte", fue después de esto que Napoleón comenzó a estilizarse a sí mismo como "Napoleón Bonaparte", pero su familia no dejó de llamarse Buonaparte hasta 1796. El primer registro conocido de él firmando con su nombre como Bonaparte fue a la edad de 27 años (en 1796).

"La habilidad no es nada sin la oportunidad". - Napoleón Bonaparte

El asedio de Toulon

En julio de 1793, Bonaparte publicó un panfleto pro-republicano titulado *Le souper de Beaucaire* (La cena en Beaucaire) que le valió el apoyo de Augustin Robespierre, hermano menor del líder revolucionario Maximilien Robespierre. Con la ayuda de su compatriota Antoine Christophe Saliceti, Bonaparte fue nombrado comandante de artillería de las fuerzas republicanas en el asedio de Tolón.

Adoptó un plan para capturar una colina donde los cañones republicanos pudieran dominar el puerto de la ciudad y obligar a los británicos a evacuar. El asalto a la posición condujo a la captura de la ciudad, pero durante el mismo Bonaparte fue herido en el muslo. Fue ascendido a general de brigada a la edad de 24 años. Llamando la atención del Comité de Seguridad Pública, fue puesto a cargo de la artillería del ejército francés de Italia.

Napoleón pasó un tiempo como inspector de fortificaciones costeras en la costa del Mediterráneo cerca de Marsella mientras esperaba la confirmación del puesto del Ejército de Italia. Ideó planes para atacar el Reino de Cerdeña como parte de la campaña de Francia contra la Primera Coalición. Augustin Robespierre y Saliceti estaban listos para escuchar al recién ascendido general de artillería.

El ejército francés llevó a cabo el plan de Bonaparte en la batalla de Saorgio en abril de 1794, y luego avanzó para tomar Ormea en las montañas. Desde Ormea, se dirigieron al oeste para flanquear las posiciones austro-sardias alrededor de Saorge. Después de esta campaña, Agustín Robespierre envió a Bonaparte en una misión a la República de Génova para determinar las intenciones de ese país hacia Francia.

13 Vendémiaire

Algunos contemporáneos alegaron que Bonaparte fue puesto bajo arresto domiciliario en Niza por su asociación con los Robespierres tras su caída en la Reacción Termidoriana en julio de 1794, pero el secretario de Napoleón, Bourrienne, rebatió la acusación en sus memorias.

Según Bourrienne, los celos eran responsables, entre el Ejército de los Alpes y el Ejército de Italia (con el que Napoleón estaba destacado en ese momento). Bonaparte envió una defensa apasionada en una carta al comisario Saliceti, y posteriormente fue absuelto de cualquier delito. Fue puesto en libertad en dos semanas y, debido a sus habilidades técnicas, se le pidió que elaborara planes para atacar las posiciones italianas en el contexto de la guerra de Francia con Austria. También participó en una expedición para recuperar Córcega de los británicos, pero los franceses fueron repelidos por la Marina Real Británica.

En 1795, Bonaparte se había comprometido con Désirée Clary, hija de François Clary. La hermana de Désirée, Julie Clary, se había casado con el hermano mayor de Bonaparte, Joseph.

En abril de 1795, fue asignado al Ejército de Occidente, que se ocupó de la guerra de Vendée, una guerra civil y contrarrevolución monárquica en Vendée, una región del centro oeste de Francia en el Océano Atlántico. Como comando de infantería, fue degradado de general de artillería -para lo cual el ejército ya tenía una cuota completa- y alegó mala salud para evitar el destino.

Fue trasladado a la Oficina de Topografía del Comité de Seguridad Pública y solicitó sin éxito su traslado a Constantinopla para ofrecer sus servicios al Sultán. Durante este período, escribió la novela romántica *Clisson et Eugénie*, sobre un soldado y su amante, en un claro paralelismo con la propia relación de Bonaparte con Désirée.

El 15 de septiembre, Bonaparte fue retirado de la lista de generales en servicio regular por su negativa a servir en la campaña de Vendée. Se enfrentó a una difícil situación financiera y a unas perspectivas de carrera reducidas.

El 3 de octubre, los monárquicos de París declararon una rebelión contra la Convención Nacional. Paul Barras, líder de la Reacción Termidoriana, conoció las hazañas militares de Bonaparte en Toulon y le dio el mando de las fuerzas improvisadas en defensa de la convención en el Palacio de las Tullerías. Napoleón había visto la masacre de la Guardia Suiza del Rey allí tres años antes y se dio cuenta de que la artillería sería la clave de su defensa.

Ordenó a un joven oficial de caballería llamado Joachim Murat que se apoderara de grandes cañones y los utilizó para repeler a los atacantes el 5 de octubre de 1795-13 *Vendémiaire An IV* en el calendario republicano francés; 1.400 monárquicos murieron y el resto huyeron. Había limpiado las calles con "un olor a pólvora", según el historiador del siglo XIX Thomas Carlyle en *La Revolución Francesa: Una historia*.

La derrota de la insurrección monárquica extinguió la amenaza a la Convención y le dio a Bonaparte fama, riqueza y el patrocinio del nuevo gobierno, el Directorio. Murat se casó con una de las hermanas de Napoleón, convirtiéndose en su cuñado; también sirvió bajo Napoleón como uno de sus generales. Bonaparte fue ascendido a Comandante del Interior y se le dio el mando del Ejército de Italia.

En pocas semanas, se involucró románticamente con Joséphine de Beauharnais, la antigua amante de Barras. La pareja se casó el 9 de marzo de 1796 en una ceremonia civil.

Primera campaña italiana

"La única manera de liderar a la gente es mostrarles un futuro: un líder es un traficante de esperanza." - Napoleón Bonaparte

Dos días después del matrimonio, Bonaparte dejó París para tomar el mando del Ejército de Italia. Inmediatamente pasó a la ofensiva, esperando derrotar a las fuerzas del Piamonte antes de que sus aliados austriacos pudieran intervenir.

En una serie de rápidas victorias durante la Campaña de Montenotte, sacó a Piamonte de la guerra en dos semanas. Los franceses se centraron entonces en los austriacos para el resto de la guerra, cuyo punto culminante fue la prolongada lucha por Mantua. Los austriacos lanzaron una serie de ofensivas contra los franceses para romper el asedio, pero Napoleón derrotó todos los esfuerzos de ayuda, anotando victorias en las batallas de Castiglione, Bassano, Arcole y Rivoli.

El discurso de Napoleón al Ejército después de las victorias de la campaña italiana

En mayo de 1796, Napoleón pronunció un discurso para felicitar a los soldados involucrados en la campaña italiana después de un número considerable de victorias en el campo de batalla.

Lo siguiente es el discurso:

"Soldados": En quince días habéis obtenido seis victorias, habéis tomado veintiún banderas de colores, cincuenta y cinco cañones y varias fortalezas, y habéis invadido la parte más rica del Piamonte; habéis hecho 15.000 prisioneros y habéis matado o herido a más de 10.000 hombres. Hasta ahora habéis luchado por rocas estériles, memorables por vuestro valor, aunque inútiles para vuestra patria, pero vuestras hazañas equivalen ahora a las de los ejércitos de Holanda y del Rin. Estabais completamente en la miseria, y habéis suplido todas vuestras necesidades. Ganaron batallas sin cañones, pasaron ríos sin puentes, realizaron marchas forzadas sin zapatos, y se acantonaron sin licores fuertes, y a menudo sin pan. Sólo las falanges republicanas, los soldados de la libertad, han podido soportar lo que habéis hecho; ¡gracias a vosotros, soldados, por vuestra perseverancia!

Su agradecida patria le debe su seguridad; y si la toma de Toulon fue un éxito de la inmortal campaña de 1794, sus actuales victorias predicen una más gloriosa. Los dos ejércitos que últimamente te atacaron con toda confianza, vuelan ahora ante ti con consternación; los hombres perversos que se reían de tu angustia y se regocijaban interiormente por el triunfo de tus enemigos, están ahora confundidos y temblando. Pero, soldados, aún no habéis hecho nada, porque aún les queda mucho por hacer. Ni Turín ni Milán son vuestras; las cenizas de los conquistadores de Tarquín siguen siendo pisoteadas por los asesinos de Basseville.* Se dice que hay algunos entre vosotros cuyo valor está sacudido, y que preferirían volver a las cumbres de los Alpes y los Apeninos. No, no puedo creerlo. Los vencedores de Montenotte, Millesimo, Dego y Mondovi están ansiosos por extender la gloria del nombre francés."

El decisivo triunfo francés en Rivoli en enero de 1797 llevó al colapso de la posición austriaca en Italia. En Rivoli, los austriacos perdieron hasta 14.000 hombres mientras que los franceses perdieron unos 5.000.
La siguiente fase de la campaña fue la invasión francesa de las tierras centrales de los Habsburgo. Las fuerzas francesas en el sur de Alemania habían sido derrotadas por el Archiduque Carlos en 1796, pero el Archiduque retiró sus fuerzas para proteger Viena después de enterarse del asalto de Napoleón.

En el primer encuentro entre los dos comandantes, Napoleón hizo retroceder a su oponente y se adentró profundamente en el territorio austriaco después de ganar la batalla de Tarvis en marzo de 1797. Los austriacos se alarmaron por el empuje francés que llegó hasta Leoben, a unos 100 km de Viena, y finalmente decidieron pedir la paz.

El Tratado de Leoben, seguido por el más completo Tratado de Campo Formio, dio a Francia el control de la mayor parte del norte de Italia y de los Países Bajos, y una cláusula secreta prometió la República de Venecia a

22

Austria. Bonaparte marchó sobre Venecia y forzó su rendición, poniendo fin a 1.100 años de independencia. También autorizó a los franceses a saquear tesoros como los Caballos de San Marcos.

Su aplicación de las ideas militares convencionales a situaciones del mundo real permitió sus triunfos militares, como el uso creativo de la artillería como fuerza móvil para apoyar a su infantería. Más tarde declaró: "He luchado sesenta batallas y no he aprendido nada que no supiera al principio. Mirad a César; luchó la primera como la última".

Bonaparte podía ganar batallas ocultando el despliegue de tropas y concentrando sus fuerzas en la "bisagra" del debilitado frente del enemigo. Si no podía usar su estrategia de envolvimiento favorita, tomaba la posición central y atacaba a dos fuerzas cooperantes en su bisagra, giraba para luchar contra una hasta que ésta huyera, y luego se volvía para enfrentar a la otra.

En esta campaña italiana, el ejército de Bonaparte capturó 150.000 prisioneros, 540 cañones y 170 estandartes. El ejército francés luchó 67 acciones y ganó 18 batallas campales gracias a la tecnología superior de artillería y a las tácticas de Bonaparte.

Durante la campaña, Bonaparte se hizo cada vez más influyente en la política francesa. Fundó dos periódicos: uno para las tropas de su ejército y otro para la circulación en Francia. Los monárquicos atacaron a Bonaparte por el saqueo de Italia y advirtieron que podría convertirse en un dictador.

Se calcula que las fuerzas de Napoleón extrajeron 45 millones de dólares en fondos de Italia durante su campaña allí, otros 12 millones de dólares en metales preciosos y joyas. Sus fuerzas también confiscaron más de trescientas pinturas y esculturas de valor incalculable.

Bonaparte envió al general Pierre Augereau a París para dar un golpe *de estado* y purgar a los monárquicos el 4 de septiembre- golpe de 18 Fructidor. Esto dejó a Barras y sus aliados republicanos en control de nuevo pero dependiente de Bonaparte, que procedió a las negociaciones de paz con Austria. Estas negociaciones resultaron en el Tratado de Campo Formio, y Bonaparte regresó a París en diciembre como un héroe. Se reunió con Talleyrand, el nuevo Ministro de Relaciones Exteriores de Francia -quien sirvió en la misma capacidad para el Emperador Napoleón- y comenzaron a prepararse para una invasión de Gran Bretaña.

Expedición egipcia

Después de dos meses de planificación, Bonaparte decidió que el poder naval de Francia no era aún lo suficientemente fuerte para enfrentar a la Marina Real Británica. Decidió una expedición militar para apoderarse de Egipto y así socavar el acceso de Gran Bretaña a sus intereses comerciales en la India. Bonaparte deseaba establecer una presencia francesa en el Oriente Medio, vinculándose con Tipu Sultan, el sultán de Mysore que luchó en las cuatro largas guerras anglo-misoreñas durante la invasión británica de la India.

Napoleón aseguró al Directorio que "tan pronto como haya conquistado Egipto, establecerá relaciones con los príncipes indios y, junto con ellos, atacará a los ingleses en sus posesiones". El Directorio estuvo de acuerdo para asegurar una ruta comercial a la India.

En mayo de 1798, Bonaparte fue elegido miembro de la Academia Francesa de Ciencias. Su expedición egipcia incluía un grupo de 167 científicos, entre los que se encontraban matemáticos, naturalistas, químicos y geodestas. Sus descubrimientos incluyeron la Piedra de Rosetta, y su trabajo fue publicado en la Description *de l'Égypte* en 1809.

En ruta hacia Egipto, Bonaparte llegó a Malta el 9 de junio de 1798, entonces controlado por los Caballeros Hospitalarios. El Gran Maestre Ferdinand von Hompesch zu Bolheim se rindió después de una resistencia simbólica, y Bonaparte capturó una importante base naval con la pérdida de sólo tres hombres.

El General Bonaparte y su expedición eludieron la persecución de la Marina Real y aterrizaron en Alejandría el 1 de julio. Luchó en la batalla de Shubra Khit contra los mamelucos, la casta militar gobernante de Egipto. Esto ayudó a los franceses a practicar su táctica defensiva para la Batalla de las Pirámides, librada el 21 de julio, a unos 24 km de las pirámides. Las fuerzas del General Bonaparte, de 25.000 efectivos, equivalían aproximadamente a las de la caballería egipcia de los mamelucos.

Veintinueve franceses y aproximadamente 2.000 egipcios fueron asesinados. La victoria elevó la moral del ejército francés.

El 1 de agosto de 1798, la flota británica bajo el mando de Sir Horatio Nelson capturó o destruyó todos los barcos franceses, excepto dos, en la Batalla del Nilo, derrotando el objetivo de Bonaparte de reforzar la posición francesa en el Mediterráneo. Su ejército había logrado un aumento temporal del poder francés en Egipto, aunque se enfrentó a repetidas sublevaciones.

A principios de 1799, trasladó un ejército a la provincia otomana de Damasco (Siria y Galilea). Bonaparte lideró a estos 13.000 soldados franceses en la conquista de las ciudades costeras de Arish, Gaza, Jaffa y Haifa. El ataque a Jaffa fue particularmente brutal. Bonaparte descubrió que muchos de los defensores eran antiguos prisioneros de guerra, aparentemente en libertad condicional, por lo que ordenó que la guarnición y los 1.400 prisioneros fueran ejecutados con bayoneta o ahogados para ahorrar balas. Hombres, mujeres y niños fueron robados y asesinados durante tres días.

Bonaparte comenzó con un ejército de 13.000 hombres; 1.500 fueron reportados como desaparecidos, 1.200 murieron en combate, y miles perecieron por la enfermedad, principalmente la peste bubónica. No logró reducir la fortaleza de Acre, así que marchó con su ejército de vuelta a Egipto en mayo.

Para acelerar la retirada, Bonaparte ordenó envenenar con opio a los hombres afectados por la peste; el número de muertos sigue siendo discutido, y oscila entre un mínimo de 30 y un máximo de 580. También sacó a 1.000 hombres heridos. De vuelta en Egipto el 25 de julio, Bonaparte derrotó una invasión anfibia otomana en Abukir.

Gobernante de Francia

"Si quieres tener éxito en el mundo, promételo todo, no entregues nada." - Napoleón Bonaparte

Durante su estancia en Egipto, Bonaparte se mantuvo informado de los asuntos europeos. Se enteró de que Francia había sufrido una serie de derrotas en la Guerra de la Segunda Coalición.

El 24 de agosto de 1799 aprovechó la salida temporal de los barcos británicos de los puertos costeros franceses y partió hacia Francia, a pesar de que no había recibido ninguna orden explícita de París. El ejército quedó a cargo de Jean-Baptiste Kléber.

Sin que Bonaparte lo supiera, el Directorio le había enviado órdenes de regresar para prevenir posibles invasiones en suelo francés, pero las malas líneas de comunicación impedían la entrega de estos mensajes. Cuando llegó a París en octubre, la situación de Francia había mejorado con una serie de victorias. La República, sin embargo, estaba en bancarrota y el ineficaz Directorio era impopular entre la población francesa. El Directorio discutió la "deserción" de Bonaparte pero era demasiado débil para castigarlo.

A pesar de los fracasos en Egipto, Napoleón volvió a ser recibido como un héroe. Se alió con el director Emmanuel Joseph Sieyès, su hermano Lucien, presidente del Consejo de los Quinientos, Roger Ducos, el director Joseph Fouché y Talleyrand, y derrocaron el Directorio mediante un golpe de Estado el 9 de noviembre de 1799 ("el 18° Brumario" según el calendario revolucionario), cerrando el Consejo de los Quinientos.

Napoleón se convirtió en "primer cónsul" durante diez años, con dos cónsules nombrados por él que sólo tenían voz consultiva. Su poder fue confirmado por la nueva "Constitución del año VIII", ideada originalmente por Sieyès para dar a Napoleón un papel menor, pero reescrita por Napoleón, y aceptada por votación popular directa (3.000.000 a favor, 1.567 en contra). La constitución conservó la apariencia de una república pero en realidad estableció una dictadura.

Consulado Francés

Napoleón estableció un sistema político que el historiador Martyn Lyons llamó "dictadura por plebiscito". Preocupado por las fuerzas democráticas desatadas por la Revolución, pero sin querer ignorarlas por completo, Napoleón recurrió a consultas electorales regulares con el pueblo francés en su camino hacia el poder imperial.

Redactó la Constitución del año VIII y aseguró su propia elección como Primer Cónsul, tomando residencia en las Tullerías. La constitución fue aprobada en un plebiscito amañado celebrado en enero siguiente, con el 99,94 por ciento de los votos oficialmente declarados como "sí".

El hermano de Napoleón, Lucien, había falsificado las declaraciones para mostrar que 3 millones de personas habían participado en el plebiscito. El número real era de 1,5 millones. Los observadores políticos de la época asumieron que el público francés con derecho a voto era de unos 5 millones de personas, por lo que el régimen duplicó artificialmente la tasa de participación para indicar el entusiasmo popular por el consulado.

En los primeros meses del consulado, con la guerra en Europa todavía en marcha y la inestabilidad interna que todavía asolaba el país, el control de Napoleón sobre el poder siguió siendo muy tenue.

En la primavera de 1800, Napoleón y sus tropas cruzaron los Alpes suizos hacia Italia, con el objetivo de sorprender a los ejércitos austriacos que habían reocupado la península cuando Napoleón estaba todavía en Egipto. Después de un difícil cruce de los Alpes, el ejército francés entró en las llanuras del norte de Italia prácticamente sin oposición.

Mientras un ejército francés se acercaba desde el norte, los austriacos estaban ocupados con otro estacionado en Génova, que estaba asediado por una fuerza considerable. La feroz resistencia de este ejército francés, bajo el mando de André Masséna, dio a la fuerza del norte algún tiempo para llevar a cabo sus operaciones con poca interferencia.

Después de pasar varios días buscándose, los dos ejércitos chocaron en la batalla de Marengo el 14 de junio. El general Melas tenía una ventaja numérica, con unos 30.000 soldados austriacos, mientras que Napoleón comandaba 24.000 soldados franceses.

La batalla comenzó favorablemente para los austriacos ya que su ataque inicial sorprendió a los franceses y gradualmente los hizo retroceder. Melas declaró que había ganado la batalla y se retiró a su cuartel general alrededor de las 3 pm, dejando a sus subordinados a cargo de perseguir a los franceses. Las líneas francesas nunca se rompieron durante su retirada táctica. Napoleón constantemente cabalgaba entre las tropas instándolas a levantarse y luchar.

Al final de la tarde, una división completa bajo el mando de Desaix llegó al campo e invirtió la marea de la batalla. Una serie de bombardeos de artillería y cargas de caballería diezmaron el ejército austriaco, que huyó sobre el río Bormida de vuelta a Alessandria, dejando atrás 14.000 bajas.

Al día siguiente, el ejército austriaco aceptó abandonar el norte de Italia una vez más con la Convención de Alessandria, que les concedió un paso seguro a suelo amigo a cambio de sus fortalezas en toda la región.

Aunque los críticos han culpado a Napoleón de varios errores tácticos anteriores a la batalla, también han alabado su audacia al seleccionar una estrategia de campaña arriesgada, eligiendo invadir la península italiana desde el norte, cuando la gran mayoría de las invasiones francesas procedían del oeste, cerca o a lo largo de la costa. Como señala Chandler, Napoleón pasó casi un año sacando a los austriacos de Italia en su primera campaña.

En 1800, sólo le tomó un mes para lograr el mismo objetivo. El estratega y mariscal de campo alemán Alfred von Schlieffen concluyó que "Bonaparte no aniquiló a su enemigo sino que lo eliminó y lo hizo inofensivo" mientras "alcanzaba el objetivo de la campaña: la conquista del norte de Italia".

El triunfo de Napoleón en Marengo aseguró su autoridad política e impulsó su popularidad en su país, pero no condujo a una paz inmediata. El hermano de Bonaparte, José, dirigió las complejas negociaciones en Lunéville e informó que Austria, envalentonada por el apoyo británico, no reconocería el nuevo territorio que Francia había adquirido.

Como las negociaciones se volvían cada vez más difíciles, Bonaparte dio órdenes a su general Moreau de atacar Austria una vez más. Moreau y los franceses arrasaron en Baviera y obtuvieron una abrumadora victoria en Hohenlinden en diciembre de 1800. Como resultado, los austriacos capitularon y firmaron el Tratado de Lunéville en febrero de 1801. El tratado reafirmó y amplió las anteriores victorias francesas en Campo Formio.

Paz temporal en Europa

Después de una década de guerra constante, Francia y Gran Bretaña firmaron el Tratado de Amiens en marzo de 1802, poniendo fin a las guerras revolucionarias. Amiens pedía la retirada de las tropas británicas de los territorios coloniales recientemente conquistados, así como garantías para reducir los objetivos expansionistas de la República Francesa.

Con Europa en paz y la economía recuperándose, la popularidad de Napoleón se disparó a sus niveles más altos bajo el consulado, tanto en el país como en el extranjero. En un nuevo plebiscito celebrado en la primavera de 1802, el público francés se manifestó en gran número para aprobar una constitución que hacía permanente el Consulado, elevando esencialmente a Napoleón a dictador de por vida.

Mientras que el plebiscito de dos años antes había llevado a 1,5 millones de personas a las urnas, el nuevo referéndum atrajo a 3,6 millones de personas a ir a votar (el 72 por ciento de todos los votantes elegibles). No hubo votación secreta en 1802 y pocas personas quisieron desafiar abiertamente al régimen. La constitución obtuvo la aprobación con más del 99% de los votos. Sus amplios poderes fueron explicados en la nueva constitución: *El artículo 1. El pueblo francés nombra, y el Senado proclama a Napoleón-Bonaparte Primer Cónsul Vitalicio.* Después de 1802, se le llamó Napoleón en lugar de Bonaparte.

La breve paz en Europa permitió a Napoleón centrarse en las colonias francesas en el extranjero. Santo Domingo había logrado adquirir un alto nivel de autonomía política durante las Guerras Revolucionarias, con Toussaint

Louverture instalándose como dictador de facto en 1801. Napoleón vio su oportunidad de recuperar la antigua colonia rica cuando firmó el Tratado de Amiens.

En la década de 1780, Santo Domingo había sido la colonia más rica de Francia, produciendo más azúcar que todas las colonias británicas de las Indias Occidentales juntas. Sin embargo, durante la Revolución, la Convención Nacional votó para abolir la esclavitud en febrero de 1794. Bajo los términos de Amiens, Napoleón aceptó apaciguar las demandas británicas al no abolir la esclavitud en ninguna de las colonias en las que el decreto de 1794 nunca se había aplicado.

Sin embargo, el decreto de 1794 sólo se aplicó en Santo Domingo, Guadalupe y Guyana, y fue letra muerta en el Senegal, Mauricio, Reunión y Martinica, la última de las cuales había sido conquistada por los británicos, que mantuvieron la institución de la esclavitud en esa isla del Caribe.

En Guadalupe, la ley de 1794 abolió la esclavitud, y fue violentamente aplicada por Victor Hugues contra la oposición de los esclavistas. Sin embargo, cuando la esclavitud fue reinstaurada en 1802, hubo una revuelta de esclavos por Louis Delgres. La Ley resultante, de 20 de mayo, tenía el propósito expreso de restablecer la esclavitud en Santo Domingo, Guadalupe y la Guayana Francesa, y restauró la esclavitud en todo el Imperio Francés y sus colonias caribeñas durante otro medio siglo, mientras que la trata de esclavos transatlántica francesa continuó durante otros veinte años.

Napoleón envió una expedición bajo el mando de su cuñado el General Leclerc para reafirmar el control de Saint-Domingue. Aunque los franceses lograron capturar a Toussaint Louverture, la expedición fracasó cuando los altos índices de enfermedad paralizaron al ejército francés, y Jean-Jacques Dessalines obtuvo una serie de victorias, primero contra Leclerc, y cuando murió de fiebre amarilla, luego contra Donatien-Marie-Joseph de Vimeur, vizconde de Rochambeau, a quien Napoleón envió para relevar a Leclerc con otros 20.000 hombres.

En mayo de 1803, Napoleón reconoció la derrota, y los últimos 8.000 soldados franceses abandonaron la isla y los esclavos proclamaron una república independiente que llamaron Haití en 1804. En el proceso, Dessalines se convirtió en el comandante militar más exitoso en la lucha contra la Francia napoleónica. Viendo el fracaso de sus esfuerzos coloniales, Napoleón decidió en 1803 vender el Territorio de Luisiana a los Estados Unidos, duplicando instantáneamente el tamaño de los Estados Unidos.

La paz con Gran Bretaña demostró ser incómoda y controvertida. Gran Bretaña no evacuó Malta como había prometido y protestó contra la anexión del Piamonte por parte de Bonaparte y su Acta de Mediación, que estableció una nueva Confederación Suiza. Ninguno de estos territorios estaba cubierto por Amiens, pero inflamaron las tensiones de manera significativa.
La disputa culminó en una declaración de guerra por parte de Gran Bretaña en mayo de 1803; Napoleón respondió volviendo a montar el campamento de invasión de Boulogne.

"Si quieren la paz, las naciones deben evitar los pinchazos que preceden a los disparos de cañón". - Napoleón Bonaparte

Imperio Francés

Durante el consulado, Napoleón se enfrentó a varios complots de asesinatos de monárquicos y jacobinos, incluyendo la *Conspiration des poignards* (*Conspiración de los puñales*) en octubre de 1800 y el complot de la Rue Saint-Nicaise (también conocido como la *Máquina Infernal*) dos meses después.

En enero de 1804, su policía descubrió un complot de asesinato contra él que involucraba a Moreau y que fue ostensiblemente patrocinado por la familia Bourbon, los antiguos gobernantes de Francia. Por consejo de Talleyrand, Napoleón ordenó el secuestro del duque de Enghien, violando la soberanía de Baden. El duque fue rápidamente ejecutado después de un juicio militar secreto, aunque no había estado involucrado en el complot. La ejecución de Enghien enfureció a las cortes reales de toda Europa, convirtiéndose en uno de los factores políticos que contribuyeron al estallido de las guerras napoleónicas.

Para expandir su poder, Napoleón usó estos planes de asesinato para justificar la creación de un sistema imperial basado en el modelo romano. Creía que una restauración borbónica sería más difícil si la sucesión de su familia se afianzaba en la constitución. Lanzando otro referéndum, Napoleón fue elegido Emperador *de los franceses* por un recuento superior al 99%.

Al igual que el Consulado Vitalicio dos años antes, este referéndum produjo una gran participación, llevando a casi 3,6 millones de votantes a las urnas.

Una aguda observadora del ascenso de Bonaparte al poder absoluto, Madame de Rémusat, explica que "los hombres desgastados por el caos de la Revolución [...] buscaban el dominio de un gobernante capaz" y que "la gente creía muy sinceramente que Bonaparte, ya fuera como cónsul o emperador, ejercería su autoridad y los salvaría de los peligros de la anarquía".

La coronación de Napoleón, en la que ofició el Papa Pío VII, tuvo lugar en Notre Dame de París, el 2 de diciembre de 1804. Dos coronas separadas fueron traídas para la ceremonia: una corona de laurel dorado que recordaba al Imperio Romano y una réplica de la corona de Carlomagno. Napoleón entró en la ceremonia llevando la corona de laurel y la mantuvo en su cabeza durante todo el proceso.

Para la coronación oficial, levantó la corona de Carlomagno sobre su propia cabeza en un gesto simbólico, pero nunca la colocó encima porque ya llevaba la corona dorada. En su lugar colocó la corona en la cabeza de Josefina, el evento conmemorado en la pintura oficial de Jacques-Louis David.

Napoleón también fue coronado Rey de Italia, con la Corona de Hierro de Lombardía, en la Catedral de Milán el 26 de mayo de 1805. Creó dieciocho mariscales del Imperio de entre sus principales generales para asegurar la lealtad del ejército el 18 de mayo de 1804, el comienzo oficial del Imperio.

Guerra de la Tercera Coalición

Gran Bretaña había roto la paz de Amiens al declarar la guerra a Francia en mayo de 1803. En diciembre de 1804, un acuerdo anglo-sueco se convirtió en el primer paso hacia la creación de la Tercera Coalición. En abril de 1805, Gran Bretaña también había firmado una alianza con Rusia. Austria había sido derrotada por Francia dos veces en la memoria reciente y quería vengarse, por lo que se unió a la coalición unos meses más tarde.

Antes de la formación de la Tercera Coalición, Napoleón había reunido una fuerza de invasión, el *Armée d'Angleterre*, alrededor de seis campos en Boulogne en el norte de Francia. Tenía la intención de usar esta fuerza de invasión para atacar a Inglaterra. Nunca invadieron, pero las tropas de Napoleón recibieron un cuidadoso e invaluable entrenamiento para futuras operaciones militares. Los hombres de Boulogne formaron el núcleo de lo que Napoleón llamó más tarde *La Grande Armée*.

Al principio, este ejército francés tenía unos 200.000 hombres organizados en siete cuerpos, que eran grandes unidades de campo que contenían 36-40 cañones cada una y eran capaces de actuar de forma independiente hasta que otros cuerpos pudieran acudir al rescate.

Un solo cuerpo adecuadamente situado en una fuerte posición defensiva podría sobrevivir al menos un día sin apoyo, dando al Gran *Armée innumerables* opciones estratégicas y tácticas en cada campaña. Además de estas fuerzas, Napoleón creó una reserva de caballería de 22.000 organizada en dos divisiones de coraceros, cuatro divisiones de dragones montados, una división de dragones desmontados y una de caballería ligera, todas ellas apoyadas por 24 piezas de artillería.

Para 1805, el *Grande Armée* había crecido hasta una fuerza de 350.000 hombres, bien equipados, bien entrenados y dirigidos por oficiales competentes.

Napoleón sabía que la flota francesa no podía derrotar a la Marina Real en una batalla cara a cara, así que planeó atraerla lejos del Canal de la Mancha a través de tácticas de distracción. La idea estratégica principal consistía en que la Armada Francesa escapara de los bloqueos británicos de Toulon y Brest y amenazara con atacar las Indias Occidentales.

Frente a este ataque, se esperaba que los británicos debilitaran su defensa de los Acercamientos Occidentales enviando barcos al Caribe, permitiendo que una flota combinada franco-española tomara el control del canal el tiempo suficiente para que los ejércitos franceses lo cruzaran e invadieran. Sin embargo, el plan se desbarató después de la victoria británica en la batalla de Cabo Finisterre en julio de 1805. El Almirante francés Villeneuve se retiró entonces a Cádiz en lugar de unirse a las fuerzas navales francesas en Brest para un ataque en el Canal de la Mancha.

Para agosto de 1805, Napoleón se había dado cuenta de que la situación estratégica había cambiado fundamentalmente. Ante una posible invasión de sus enemigos continentales, decidió golpear primero y puso a su ejército en la mira desde el Canal de la Mancha hasta el Rin. Su objetivo básico era destruir los aislados ejércitos austriacos en el sur de Alemania antes de que sus aliados rusos pudieran llegar.

El 25 de septiembre, después de un gran secreto y una marcha febril, 200.000 tropas francesas comenzaron a cruzar el Rin en un frente de 260 km.
El comandante austriaco Karl Mack había reunido la mayor parte del ejército austriaco en la fortaleza de Ulm en Suabia. Napoleón movió sus fuerzas hacia el sureste y el *Gran Ejército* realizó un elaborado movimiento de giro que flanqueó las posiciones austriacas. La maniobra de Ulm sorprendió completamente al General Mack, quien tardíamente comprendió que su ejército había sido cortado.

Después de algunos compromisos menores que culminaron en la batalla de Ulm, Mack finalmente se rindió al darse cuenta de que no había manera de salir del cerco francés. Por sólo 2.000 bajas francesas, Napoleón había logrado capturar un total de 60.000 soldados austriacos a través de la rápida marcha de su ejército.

La Campaña de Ulm es generalmente considerada como una obra maestra estratégica y fue influyente en el desarrollo del Plan Schlieffen a finales del siglo XIX. Para los franceses, esta espectacular victoria en tierra se vio empañada por la decisiva victoria de la Marina Real en la batalla de Trafalgar el 21 de octubre. Después de Trafalgar, Gran Bretaña tuvo un dominio total de los mares durante las guerras napoleónicas.

Tras la campaña de Ulm, las fuerzas francesas lograron capturar Viena en noviembre. La caída de Viena proporcionó a los franceses una enorme recompensa al capturar 100.000 mosquetes, 500 cañones y los puentes intactos a través del Danubio.

En esta coyuntura crítica, tanto el Zar Alejandro I como el Emperador del Sacro Imperio Romano Germánico Francisco II decidieron enfrentarse a Napoleón en la batalla, a pesar de las reservas de algunos de sus subordinados. Napoleón envió su ejército al norte en busca de los aliados, pero luego ordenó a sus fuerzas que se retiraran para poder fingir una grave debilidad.

Desesperado por atraer a los aliados a la batalla, Napoleón dio todas las indicaciones en los días previos al combate de que el ejército francés estaba en un estado lamentable, incluso abandonando las dominantes Pratzen Heights cerca del pueblo de Austerlitz.

En la batalla de Austerlitz, en Moravia, el 2 de diciembre, desplegó el ejército francés bajo los Altos de Pratzen y debilitó deliberadamente su flanco derecho, incitando a los aliados a lanzar un gran asalto allí con la esperanza de enrollar toda la línea francesa. Una marcha forzada desde Viena por el mariscal Davout y su III Cuerpo cubrió el hueco dejado por Napoleón justo a tiempo.

Mientras tanto, el pesado despliegue aliado contra el flanco derecho francés debilitó su centro en los Altos de Pratzen, que fue viciosamente atacado por el IV Cuerpo del Mariscal Soult. Con el centro aliado demolido, los franceses barrieron ambos flancos enemigos y enviaron a los aliados a huir caóticamente, capturando miles de prisioneros en el proceso. La batalla es a menudo vista como una obra maestra táctica debido a la ejecución casi perfecta de un plan calibrado pero peligroso, de la misma estatura que Cannae, el celebrado triunfo de Aníbal unos 2.000 años antes.

El desastre aliado en Austerlitz sacudió significativamente la fe del emperador Francisco en el esfuerzo de guerra liderado por los británicos. Francia y Austria acordaron un armisticio inmediatamente y el Tratado de Presburgo le siguió poco después, el 26 de diciembre. Pressburgo sacó a Austria tanto de la guerra como de la Coalición, reforzando al mismo tiempo los anteriores tratados de Campo Formio y de Lunéville entre ambas potencias.

El tratado confirmó la pérdida de tierras austriacas a Francia en Italia y Baviera, y de tierras en Alemania a los aliados alemanes de Napoleón. También impuso una indemnización de 40 millones de francos a los derrotados Habsburgo y permitió a las tropas rusas que huían el libre paso a través de territorios hostiles y el regreso a su tierra natal.

Napoleón continuó diciendo: "La batalla de Austerlitz es la mejor de todas las que he luchado". Frank McLynn sugiere que Napoleón tuvo tanto éxito en Austerlitz que perdió el contacto con la realidad, y lo que solía ser la política exterior francesa se convirtió en una "política napoleónica personal". Vincent Cronin no está de acuerdo y afirma que Napoleón no era demasiado ambicioso para sí mismo, "encarnaba las ambiciones de treinta millones de franceses".

"No debes pelear muy a menudo con un enemigo, o le enseñarás todo tu arte de la guerra." - Napoleón Bonaparte

Alianzas de Oriente Medio

Napoleón continuó con un gran plan para establecer una presencia francesa en el Medio Oriente para presionar a Gran Bretaña y Rusia, y quizás formar una alianza con el Imperio Otomano.

En febrero de 1806, el emperador otomano Selim III reconoció a Napoleón como *emperador*. También optó por una alianza con Francia, llamando a Francia "nuestro sincero y natural aliado". Esa decisión llevó al Imperio Otomano a una guerra perdida contra Rusia y Gran Bretaña. También se formó una alianza franco-persa entre Napoleón y el Imperio Persa de Fat'h-Ali Shah Qajar. Se derrumbó en 1807, cuando Francia y Rusia formaron una alianza inesperada.

Al final, Napoleón no había hecho alianzas efectivas en el Medio Oriente.

Guerra de la Cuarta Coalición y Tilsit

Después de Austerlitz, Napoleón estableció la Confederación del Rin en 1806. La creación de la Confederación supuso el fin del Sacro Imperio Romano Germánico y alarmaron considerablemente a los prusianos.

La descarada reorganización del territorio alemán por parte de los franceses amenazaba la influencia prusiana en la región, si no la eliminaba por completo. La fiebre de la guerra en Berlín aumentó constantemente durante el verano de 1806. Ante la insistencia de su corte, especialmente de su esposa la reina Luisa, Federico Guillermo III decidió desafiar la dominación francesa de Europa Central yendo a la guerra.

Las primeras maniobras militares comenzaron en septiembre de 1806. En una carta al mariscal Soult detallando el plan de la campaña, Napoleón describió los rasgos esenciales de la guerra napoleónica e introdujo la frase *le bataillon-carré* ("batallón cuadrado"). En el sistema de *bataillon-carré*, los distintos cuerpos del *Gran Ejército marcharían uniformemente* juntos a corta distancia de apoyo. Si un cuerpo era atacado, los otros podían entrar rápidamente en acción y llegar para ayudar. Napoleón invadió Prusia con 180.000 soldados, marchando rápidamente por la orilla derecha del río Saale. Como en campañas anteriores, su objetivo fundamental era destruir a un oponente antes de que los refuerzos de otro pudieran inclinar la balanza de la guerra. Al conocer el paradero del ejército prusiano, los franceses se dirigieron al oeste y cruzaron el Saale con una fuerza abrumadora.

En las batallas gemelas de Jena y Auerstedt, libradas el 14 de octubre, los franceses derrotaron convincentemente a los prusianos e infligieron fuertes bajas. Con varios comandantes importantes muertos o incapacitados, el rey prusiano demostró ser incapaz de comandar eficazmente el ejército, que comenzó a desintegrarse rápidamente.

En una cacería alardeada que personificaba el "pico de la guerra napoleónica", según el historiador Richard Brooks, los franceses lograron capturar 140.000 soldados, más de 2.000 cañones y cientos de carros de municiones, todo en un solo mes. El historiador David Chandler escribió sobre las fuerzas prusianas: "Nunca la moral de un ejército ha sido tan completamente destrozada". A pesar de su aplastante derrota, los prusianos se negaron a negociar con los franceses hasta que los rusos tuvieran la oportunidad de entrar en la lucha.

Tras su triunfo, Napoleón impuso los primeros elementos del Sistema Continental a través del Decreto de Berlín emitido en noviembre de 1806. El Sistema Continental, que prohibía a las naciones europeas comerciar con Gran Bretaña, fue ampliamente violado durante su reinado.

En los meses siguientes, Napoleón marchó contra el avance de los ejércitos rusos a través de Polonia y se vio envuelto en el sangriento estancamiento de la batalla de Eylau en febrero de 1807. Tras un período de descanso y consolidación en ambos bandos, la guerra se reinició en junio con una lucha inicial en Heilsberg que resultó ser indecisa.

El 14 de junio Napoleón obtuvo una victoria abrumadora sobre los rusos en la batalla de Friedland, eliminando a la mayoría del ejército ruso en una lucha muy sangrienta. La magnitud de su derrota convenció a los rusos de hacer la paz con los franceses.

El 19 de junio, el zar Alejandro envió un enviado para buscar un armisticio con Napoleón. Este último aseguró al enviado que el río Vístula representaba las fronteras naturales entre la influencia francesa y rusa en Europa. Sobre esa base, los dos emperadores iniciaron negociaciones de paz en la ciudad de Tilsit después de reunirse en una emblemática balsa en el río Niemen. Lo primero que Alejandro dijo a Napoleón fue probablemente bien calibrado: "Odio a los ingleses tanto como tú".

Alejandro se enfrentó a la presión de su hermano, el duque Constantino, para hacer las paces con Napoleón. Dada la victoria que acababa de conseguir, el emperador francés ofreció a los rusos términos relativamente indulgentes, exigiendo que Rusia se uniera al sistema continental, retirara sus fuerzas de Valaquia y Moldavia, y entregara las Islas Jónicas a Francia.

Por el contrario, Napoleón dictó durísimos términos de paz para Prusia, a pesar de las incesantes exhortaciones de la Reina Luisa. Borrando del mapa la mitad de los territorios prusianos, Napoleón creó un nuevo reino de 2.800 kilómetros cuadrados llamado Westfalia y nombró a su joven hermano Jerónimo como su monarca. El trato humillante de Prusia en Tilsit causó un profundo y amargo antagonismo que se enconó a medida que avanzaba la era napoleónica.

Además, las pretensiones de amistad de Alejandro con Napoleón llevaron a este último a juzgar seriamente mal las verdaderas intenciones de su homólogo ruso, que violaría numerosas disposiciones del tratado en los años siguientes. A pesar de estos problemas, los Tratados de Tilsit dieron por fin a Napoleón un respiro de la guerra y le permitieron regresar a Francia, que no había visto en más de 300 días.

La Guerra de la Península y Erfurt

Los asentamientos en Tilsit le dieron a Napoleón tiempo para organizar su imperio. Uno de sus principales objetivos se convirtió en hacer cumplir el Sistema Continental contra las fuerzas británicas. Decidió centrar su atención en el Reino de Portugal, que violaba constantemente sus prohibiciones comerciales.

Después de la derrota en la Guerra de las Naranjas en 1801, Portugal adoptó una política de doble cara. Al principio, Juan VI aceptó cerrar sus puertos al comercio británico. La situación cambió drásticamente después de la derrota franco-española en Trafalgar; Juan se volvió más audaz y reanudó oficialmente las relaciones diplomáticas y comerciales con Gran Bretaña.

Descontento con este cambio de política del gobierno portugués, Napoleón negoció un tratado secreto con Carlos IV de España y envió un ejército para invadir Portugal.

El 17 de octubre de 1807, 24.000 tropas francesas bajo el mando del general Junot cruzaron los Pirineos con la cooperación española y se dirigieron a Portugal para hacer cumplir las órdenes de Napoleón. Este ataque fue el primer paso en lo que se convertiría en la Guerra Peninsular, una lucha de seis años que minó significativamente la fuerza francesa.

Durante el invierno de 1808, los agentes franceses se involucraron cada vez más en los asuntos internos españoles, tratando de incitar a la discordia entre los miembros de la familia real española. El 16 de febrero de 1808, las maquinaciones secretas francesas se materializaron finalmente cuando Napoleón anunció que intervendría para mediar entre las facciones políticas rivales del país.

El Mariscal Murat condujo 120.000 tropas a España. Los franceses llegaron a Madrid el 24 de marzo, donde estallaron salvajes disturbios contra la ocupación unas semanas después. Napoleón nombró a su hermano, José

Bonaparte, como el nuevo rey de España en el verano de 1808. El nombramiento enfureció a una población española muy religiosa y conservadora. La resistencia a la agresión francesa pronto se extendió por toda España.

La espantosa derrota francesa en la batalla de Bailén en julio dio esperanza a los enemigos de Napoleón y persuadió en parte al emperador francés para que interviniera en persona.

Antes de ir a Iberia, Napoleón decidió abordar varios asuntos pendientes con los rusos.

En el Congreso de Erfurt, en octubre de 1808, Napoleón esperaba mantener a Rusia de su lado durante la próxima lucha en España y durante cualquier posible conflicto contra Austria. Ambas partes llegaron a un acuerdo, la Convención de Erfurt, en el que se exhortaba a Gran Bretaña a cesar su guerra contra Francia, se reconocía la conquista rusa de Finlandia por Suecia y se la convertía en un Gran Ducado autónomo, y se afirmaba el apoyo ruso a Francia en una posible guerra contra Austria "en la medida de sus posibilidades".

Napoleón regresó a Francia y se preparó para la guerra. El *Gran Ejército*, bajo el mando personal del Emperador, cruzó rápidamente el río Ebro en noviembre de 1808 e infligió una serie de aplastantes derrotas contra las fuerzas españolas.

Después de despejar la última fuerza española que custodiaba la capital en Somosierra, Napoleón entró en Madrid el 4 de diciembre con 80.000 soldados. Luego desató a sus soldados contra Moore y las fuerzas británicas. Los británicos fueron rápidamente conducidos a la costa, y se retiraron de España por completo después de una última batalla en la Batalla de la Coruña en enero de 1809.

Napoleón terminaría dejando Iberia para ocuparse de los austriacos en Europa Central, pero la Guerra Peninsular continuó mucho después de su ausencia. Nunca regresó a España después de la campaña de 1808.

Varios meses después de A Coruña, los británicos enviaron otro ejército a la península con el futuro Duque de Wellington. La guerra se convirtió entonces en un complejo y asimétrico punto muerto estratégico en el que todos los bandos lucharon por ganar la batalla. El punto culminante del conflicto se convirtió en la brutal guerra de *guerrillas* que se extendió por gran parte del campo español. Ambos bandos cometieron las peores atrocidades de las guerras napoleónicas durante esta fase del conflicto.

La viciosa lucha de la guerrilla en España, en gran parte ausente de las campañas francesas en Europa Central, interrumpió gravemente las líneas de suministro y comunicación francesas. Aunque Francia mantuvo unos 300.000 soldados en Iberia durante la Guerra Peninsular, la gran mayoría de ellos estaban destinados a tareas de guarnición y a operaciones de inteligencia. Los franceses nunca pudieron concentrar todas sus fuerzas de manera efectiva, prolongando la guerra hasta que los acontecimientos en otras partes de Europa finalmente cambiaron la marea a favor de los Aliados.

Después de la invasión de Rusia en 1812, el número de tropas francesas en España disminuyó enormemente ya que Napoleón necesitaba refuerzos para conservar su posición estratégica en Europa. Para 1814, después de decenas de batallas y asedios en toda Iberia, los aliados habían logrado expulsar a los franceses de la península.

El impacto de la invasión napoleónica de España y el derrocamiento de la monarquía borbónica española a favor de su hermano José tuvo un enorme impacto en el imperio español. En la América española muchas elites locales formaron juntas y establecieron mecanismos para gobernar en nombre de Fernando VII de España, a quien consideraban el legítimo monarca español. El estallido de las guerras de independencia de la América española en la mayor parte del imperio fue el resultado de las acciones desestabilizadoras de Napoleón en España y condujo al surgimiento de hombres fuertes a raíz de estas guerras.

"La estrategia es el arte de hacer uso del tiempo y el espacio. Me preocupa menos lo segundo que lo primero. El espacio que podemos recuperar, el tiempo perdido nunca". - Napoleón Bonaparte

Guerra de la Quinta Coalición y Marie Louise

Después de cuatro años al margen, Austria buscó otra guerra con Francia para vengar sus recientes derrotas. Austria no podía contar con el apoyo de Rusia porque ésta estaba en guerra con Gran Bretaña, Suecia y el Imperio Otomano en 1809. Federico Guillermo de Prusia prometió inicialmente ayudar a los austriacos, pero renegó antes de que comenzara el conflicto.

Un informe del ministro de finanzas austríaco sugería que el tesoro se quedaría sin dinero a mediados de 1809 si el gran ejército que los austríacos habían formado desde la

Tercera Coalición seguía movilizado. Aunque el archiduque Carlos advirtió que los austríacos no estaban preparados para otro enfrentamiento con Napoleón, postura que le llevó a formar parte del llamado "partido de la paz", tampoco quería ver desmovilizado al ejército.

El 8 de febrero de 1809, los defensores de la guerra finalmente tuvieron éxito cuando el Gobierno Imperial decidió en secreto otra confrontación contra los franceses.

En la madrugada del 10 de abril, los principales elementos del ejército austriaco cruzaron el río Inn e invadieron Baviera. El temprano ataque austriaco sorprendió a los franceses; el propio Napoleón estaba todavía en París cuando se enteró de la invasión. Llegó a Donauwörth el día 17 para encontrar el *Grande Armée* en una posición peligrosa, con sus dos alas separadas por 120 km y unidas por un delgado cordón de tropas bávaras. Carlos presionó el ala izquierda del ejército francés y lanzó a sus hombres hacia el III Cuerpo del Mariscal Davout.

En respuesta, Napoleón ideó un plan para cortar a los austriacos en la célebre Maniobra de *Landshut*. Reorientó el eje de su ejército y marchó a sus soldados hacia la ciudad de Eckmühl. Los franceses obtuvieron una convincente victoria en la resultante batalla de Eckmühl, obligando a Carlos a retirar sus fuerzas sobre el Danubio y hacia Bohemia.

El 13 de mayo, Viena cayó por segunda vez en cuatro años, aunque la guerra continuó ya que la mayor parte del ejército austriaco había sobrevivido a los combates iniciales en el sur de Alemania.

El 17 de mayo, el principal ejército austriaco bajo el mando de Carlos había llegado a Marchfeld. Carlos mantuvo el grueso de sus tropas a varios kilómetros de la orilla del río con la esperanza de concentrarlas en el punto donde Napoleón decidió cruzar.

El 21 de mayo, los franceses hicieron su primer gran esfuerzo por cruzar el Danubio, precipitando la batalla de Aspern-Essling. Los austriacos disfrutaron de una cómoda superioridad numérica sobre los franceses durante la batalla. El primer día, Carlos se deshizo de 110.000 soldados contra sólo 31.000 comandados por Napoleón. Para el segundo día, los refuerzos habían aumentado el número de franceses hasta 70.000.

La batalla se caracterizó por una feroz lucha de ida y vuelta por los dos pueblos de Aspern y Essling, los puntos centrales de la cabeza de puente francesa. Al final de la lucha, los franceses habían perdido Aspern pero aún controlaban Essling. Un bombardeo sostenido de la artillería austriaca finalmente convenció a Napoleón de retirar sus fuerzas a la isla de Lobau. Ambos bandos se infligieron unas 23.000 bajas mutuamente. Fue la primera derrota que Napoleón sufrió en una gran batalla a balón parado, y causó emoción en muchas partes de Europa porque demostró que podía ser vencido en el campo de batalla.

Después del contratiempo de Aspern-Essling, Napoleón tardó más de seis semanas en planear y preparar las contingencias antes de hacer otro intento de cruzar el Danubio.

Desde el 30 de junio hasta los primeros días de julio, los franceses reclutaron el Danubio con fuerza, con más de 180.000 tropas marchando a través de Marchfeld hacia los austriacos. Carlos recibió a los franceses con 150.000 de sus propios hombres.

En la subsiguiente batalla de Wagram, que también duró dos días, Napoleón comandó sus fuerzas en la que fue la mayor batalla de su carrera hasta entonces. Napoleón terminó la batalla con un concentrado empuje central que perforó un agujero en el ejército austriaco y obligó a Carlos a retirarse. Las pérdidas austriacas fueron muy pesadas, llegando a más de 40.000 bajas. Los franceses estaban demasiado exhaustos para perseguir a los austriacos inmediatamente, pero Napoleón finalmente alcanzó a Carlos en Znaim y éste firmó un armisticio el 12 de julio.

En el Reino de Holanda, los británicos lanzaron la Campaña Walcheren para abrir un segundo frente en la guerra y aliviar la presión sobre los austriacos. El ejército británico no desembarcó en Walcheren hasta el 30 de julio, momento en el que los austriacos ya habían sido derrotados.

La campaña de Walcheren se caracterizó por pocos combates pero muchas bajas gracias a la popularmente llamada "fiebre de Walcheren". Más de 4000 tropas británicas se perdieron en una campaña fallida, y el resto se retiró en diciembre de 1809. El principal resultado estratégico de la campaña fue el retraso en el acuerdo político entre los franceses y los austriacos. El emperador Francisco quería esperar y ver cómo actuaban los británicos en su teatro antes de entrar en negociaciones con Napoleón. Una vez que se hizo evidente que los británicos no iban a ninguna parte, los austriacos aceptaron las conversaciones de paz.

El Tratado de Schönbrunn resultante, en octubre de 1809, fue el más duro que Francia había impuesto a Austria en la memoria reciente. Metternich y el Archiduque Carlos tenían como objetivo fundamental la preservación del Imperio de los Habsburgo, y para ello lograron que Napoleón buscara objetivos más modestos a cambio de promesas de amistad entre las dos potencias.

Sin embargo, mientras que la mayoría de las tierras hereditarias permanecieron en el reino de los Habsburgo, Francia recibió Carintia, Carniola y los puertos del Adriático, mientras que Galicia fue entregada a los polacos y la zona de Salzburgo en el Tirol pasó a los bávaros. Austria perdió más de tres millones de súbditos, alrededor de una quinta parte de su población total, como resultado de estos cambios territoriales. Aunque los combates en Iberia continuaron, la Guerra de la Quinta Coalición sería el último gran conflicto en el continente europeo durante los tres años siguientes.

Napoleón se centró en los asuntos internos después de la guerra. La emperatriz Josefina aún no había dado a luz a un niño de Napoleón, que se preocupó por el futuro de su imperio tras su muerte.

Desesperado por un heredero legítimo, Napoleón se divorció de Joséphine el 10 de enero de 1810 y comenzó a buscar una nueva esposa. Esperando consolidar la reciente alianza con Austria a través de una conexión familiar, Napoleón se casó con María Luisa, duquesa de

Parma, hija de Francisco II, que tenía 18 años en ese momento.

El 20 de marzo de 1811, María Luisa dio a luz a un niño, al que Napoleón hizo heredero y le concedió el título de Rey *de Roma*. Su hijo nunca llegó a gobernar el imperio, pero dado su breve mandato titular y el posterior nombramiento de su primo Luis-Napoleón como Napoleón III, los historiadores se refieren a él a menudo como Napoleón *II*.

Invasión de Rusia

En 1808, Napoleón y el zar Alejandro se reunieron en el Congreso de Erfurt para preservar la alianza ruso-francesa. Los líderes tenían una relación personal amistosa después de su primer encuentro en Tilsit en 1807.

Sin embargo, para 1811, las tensiones habían aumentado y Alejandro estaba bajo presión de la nobleza rusa para romper la alianza. Una gran tensión en la relación entre las dos naciones se convirtió en las violaciones regulares del sistema continental por los rusos, lo que llevó a Napoleón a amenazar a Alejandro con graves consecuencias si formaba una alianza con Gran Bretaña.

Para 1812, los asesores de Alejandro sugirieron la posibilidad de una invasión del Imperio Francés y la reconquista de Polonia. Al recibir los informes de inteligencia sobre los preparativos de guerra de Rusia, Napoleón amplió su *Gran Armada* a más de 450.000 hombres. Ignoró repetidos consejos contra una invasión del corazón de Rusia y se preparó para una campaña ofensiva; el 24 de junio de 1812 comenzó la invasión.

En un intento de obtener un mayor apoyo de los nacionalistas y patriotas polacos, Napoleón denominó a la guerra la Segunda Guerra Polaca - *la Primera Guerra Polaca* había sido la sublevación de la Confederación de Abogados por parte de los nobles polacos contra Rusia en 1768. Los patriotas polacos querían que la parte rusa de Polonia se uniera al Ducado de Varsovia y que se creara una Polonia independiente. Esto fue rechazado por Napoleón, quien declaró que había prometido a su aliada Austria que esto no sucedería. Napoleón se negó a manumitir a los siervos rusos por la preocupación de que esto pudiera provocar una reacción en la retaguardia de su ejército. Los siervos cometieron más tarde atrocidades contra los soldados franceses durante la retirada de Francia.

Los rusos evitaron el objetivo de Napoleón de un compromiso decisivo y en su lugar se retiraron más profundamente en Rusia. Un breve intento de resistencia se hizo en Smolensk en agosto; los rusos fueron derrotados en una serie de batallas, y Napoleón reanudó su avance. Los rusos volvieron a evitar la batalla, aunque en unos pocos casos esto sólo se logró porque Napoleón dudó inusitadamente en atacar cuando se presentó la oportunidad. Debido a las tácticas de tierra quemada del ejército ruso, a los franceses les resultaba cada vez más difícil buscar comida para ellos y sus caballos.

Los rusos finalmente ofrecieron batalla en las afueras de Moscú el 7 de septiembre: la batalla de Borodino resultó en aproximadamente 44.000 rusos y 35.000 franceses muertos, heridos o capturados, y puede haber sido el día de batalla más sangriento de la historia hasta ese momento. Aunque los franceses habían ganado, el ejército ruso había aceptado y resistido, la gran batalla que Napoleón esperaba que fuera decisiva. El propio relato de Napoleón fue: "La más terrible de todas mis batallas fue la anterior a la de Moscú. Los franceses se mostraron dignos de la victoria, pero los rusos se mostraron dignos de ser invencibles".

El ejército ruso se retiró y pasó por Moscú. Napoleón entró en la ciudad, asumiendo que su caída acabaría con la guerra y que Alejandro negociaría la paz. Sin embargo, por órdenes del gobernador de la ciudad Feodor Rostopchin, en lugar de la capitulación, Moscú fue quemada. Después de cinco semanas, Napoleón y su ejército se fueron.

A principios de noviembre, Napoleón se preocupó por la pérdida de control en Francia tras el golpe de Malet de 1812. Su ejército caminó a través de la nieve hasta las rodillas, y casi 10.000 hombres y caballos murieron congelados sólo en la noche del 8/9 de noviembre. Después de la batalla de Berezina, Napoleón logró escapar pero tuvo que abandonar gran parte de la artillería y el tren de equipaje que quedaban. El 5 de diciembre, poco antes de llegar a Vilnius, Napoleón dejó el ejército en un trineo.

Los franceses sufrieron en el curso de una ruinosa retirada, incluso por la dureza del invierno ruso. El ejército había comenzado con más de 400.000 tropas de primera línea, con menos de 40.000 cruzando el río Berezina en noviembre de 1812. Los rusos habían perdido

150.000 soldados en la batalla y cientos de miles de civiles.

Guerra de la Sexta Coalición

Hubo una pausa en la lucha durante el invierno de 1812-13 mientras tanto los rusos y los franceses reconstruían sus fuerzas; Napoleón pudo enviar 350.000 soldados.

Alentada por la pérdida de Francia en Rusia, Prusia se unió a Austria, Suecia, Rusia, Gran Bretaña, España y Portugal en una nueva coalición. Napoleón asumió el mando en Alemania e infligió una serie de derrotas a la Coalición que culminaron en la Batalla de Dresde en agosto de 1813.
A pesar de estos éxitos, los números siguieron aumentando contra Napoleón, y el ejército francés fue inmovilizado por una fuerza dos veces mayor y perdió en la batalla de Leipzig. Esta fue por lejos la mayor batalla

59

de las guerras napoleónicas y costó más de 90.000 bajas en total.

Los aliados ofrecieron términos de paz en las propuestas de Frankfurt en noviembre de 1813. Napoleón permanecería como emperador de los franceses, pero se reduciría a sus "fronteras naturales". Esto significaba que Francia podía mantener el control de Bélgica, Saboya y Renania (la orilla occidental del río Rin), mientras que renunciaba al control del resto, incluyendo toda España y los Países Bajos, y la mayor parte de Italia y Alemania. Metternich le dijo a Napoleón que estos eran los mejores términos que los Aliados probablemente ofrecían; después de nuevas victorias, los términos serían cada vez más duros. La motivación de Metternich era mantener a Francia como un equilibrio contra las amenazas rusas, mientras terminaba con la serie de guerras altamente desestabilizadoras.

Napoleón, esperando ganar la guerra, se demoró demasiado y perdió esta oportunidad; para diciembre los aliados habían retirado la oferta. Cuando estuvo de espaldas al muro en 1814 intentó reabrir las negociaciones de paz sobre la base de aceptar las propuestas de Frankfurt. Los Aliados tenían ahora nuevos y más duros términos que incluían la retirada de Francia a sus fronteras de 1791, lo que significaba la pérdida de Bélgica. Napoleón seguiría siendo emperador, sin embargo, rechazó el término. Los británicos querían que Napoleón fuera eliminado permanentemente, y prevalecieron, pero Napoleón se negó rotundamente.

Napoleón se retiró de nuevo a Francia, su ejército se redujo a 70.000 soldados y poca caballería; se enfrentó a más del triple de las tropas aliadas. Los franceses fueron rodeados: ejércitos británicos presionados desde el sur, y otras fuerzas de la Coalición posicionadas para atacar desde los estados alemanes. Napoleón obtuvo una serie de victorias en la Campaña de los Seis Días, aunque éstas no fueron lo suficientemente significativas como para cambiar el rumbo. Los líderes de París se rindieron a la Coalición en marzo de 1814.

El 1 de abril, Alexander se dirigió al Senado conservador. Largo tiempo dócil a Napoleón, bajo la presión de Talleyrand se había vuelto contra él. Alejandro dijo a la Senat que los aliados luchaban contra Napoleón, no contra Francia, y que estaban dispuestos a ofrecer términos de paz honorables si Napoleón era removido del poder. Al día siguiente, la Senat aprobó el Acte de déchéance de l'Empereur ("Acta de defunción del emperador"), que declaraba a Napoleón depuesto.

Napoleón había avanzado hasta Fontainebleau cuando se enteró de que París estaba perdido. Cuando Napoleón propuso que el ejército marchara sobre la capital, sus oficiales superiores y mariscales se amotinaron.

El 4 de abril, liderados por Ney, los oficiales superiores se enfrentaron a Napoleón. Cuando Napoleón afirmó que el ejército le seguiría, Ney respondió que el ejército seguiría a sus generales. Mientras que los soldados comunes y los oficiales de regimiento querían seguir luchando, los altos mandos no estaban dispuestos a continuar. Sin ningún oficial superior o mariscal, cualquier posible invasión de París habría sido imposible.

Inclinándose ante lo inevitable, el 4 de abril Napoleón abdicó en favor de su hijo, con María Luisa como regente. Sin embargo, los aliados se negaron a aceptar esto bajo la presión de Alejandro, que temía que Napoleón encontrara una excusa para retomar el trono. Napoleón se vio obligado a anunciar su abdicación incondicional sólo dos días después.

"Te haces fuerte desafiando la derrota y convirtiendo la pérdida y el fracaso en éxito." - Napoleón Bonaparte

El exilio a Elba

Habiendo declarado las potencias aliadas que el emperador Napoleón era el único obstáculo para el restablecimiento de la paz en Europa, el emperador Napoleón, fiel a su juramento, declara que renuncia, para él y sus herederos, a los tronos de Francia e Italia, y que no hay ningún sacrificio personal, ni siquiera el de su vida, que no esté dispuesto a hacer en interés de Francia. Hecho en el palacio de Fontainebleau, el 11 de abril de 1814.

En el Tratado de Fontainebleau, los aliados exiliaron a Napoleón a Elba, una isla de 12.000 habitantes en el Mediterráneo, a 20 km de la costa toscana. Le dieron la soberanía sobre la isla y le permitieron conservar el título de *Emperador*. Napoleón intentó suicidarse con una píldora que llevaba consigo tras haber estado a punto de ser capturado por los rusos durante la retirada de Moscú. Sin embargo, su potencia se había debilitado con la edad y sobrevivió al exilio, mientras que su esposa e hijo se refugiaron en Austria.

El discurso de despedida de Napoleón a la Vieja Guardia

El 20 de abril de 1814, antes de ser exiliado a Elba, Napoleón dedicó un breve discurso a los soldados de la Vieja Guardia.
Lo siguiente es el discurso:

"Soldados de mi vieja guardia: me despido de vosotros. Durante veinte años os he acompañado constantemente en el camino del honor y la gloria. En estos últimos tiempos, como en los días de nuestra prosperidad, habéis sido invariablemente modelos de coraje y fidelidad. Con hombres como vosotros nuestra causa no podía perderse; pero la guerra habría sido interminable; habría sido una guerra civil, y eso habría acarreado mayores desgracias a Francia.

He sacrificado todos mis intereses por los del país. Me voy, pero ustedes, amigos míos, continuarán sirviendo a Francia. Su felicidad era mi único pensamiento. Seguirá siendo el objeto de mis deseos. No os arrepintáis de mi destino; si he consentido en sobrevivir, es para servir a vuestra gloria. Tengo la intención de escribir la historia de los grandes logros que hemos realizado juntos. Adiós, amigos míos. Ojalá pudiera apretaros a todos con mi corazón. "

Fue transportado a la isla en el HMS *Undaunted* por el Capitán Thomas Ussher, y llegó a Portoferraio el 30 de mayo de 1814.

En los primeros meses en Elba creó una pequeña marina y un ejército, desarrolló las minas de hierro, supervisó la construcción de nuevas carreteras, emitió decretos sobre los métodos agrícolas modernos y revisó el sistema legal y educativo de la isla.

A los pocos meses de su exilio, Napoleón se enteró de que su ex esposa Josefina había muerto en Francia. Quedó devastado por la noticia, encerrándose en su habitación y negándose a salir durante dos días.

Hecho: Se dice que Napoleón llevaba un frasco de veneno, atado a un cordón que llevaba alrededor de su cuello, que podía ser rápidamente bajado si alguna vez era capturado. Aparentemente, finalmente tomó el veneno en 1814, después de su exilio en Elba, pero su potencia se redujo y sólo logró enfermarlo violentamente.

Cien días

Separado de su esposa y de su hijo, que habían regresado a Austria, sin el subsidio que le garantizaba el Tratado de Fontainebleau, y consciente de los rumores de que estaba a punto de ser desterrado a una isla remota del Océano Atlántico, Napoleón escapó de Elba en el *bergantín Inconstant* el 26 de febrero de 1815 con 700 hombres. Dos días después, desembarcó en el territorio continental francés en Golfe-Juan y comenzó a dirigirse al norte.

El 5° Regimiento fue enviado a interceptarlo y estableció contacto justo al sur de Grenoble el 7 de marzo de 1815. Napoleón se acercó al regimiento solo, desmontó su caballo y, cuando estuvo a tiro, gritó a los soldados: "Aquí estoy". Matad a vuestro emperador, si queréis". Los soldados respondieron rápidamente con, "¡Vive L'Empereur!" Ney, que se había jactado ante el restaurado rey borbón, Luis XVIII, de que traería a Napoleón a París en una jaula de hierro, besó cariñosamente a su antiguo emperador y olvidó su juramento de lealtad al monarca borbón. Los dos marcharon juntos hacia París con un ejército creciente.

El impopular Luis XVIII huyó a Bélgica después de darse cuenta de que tenía poco apoyo político. El 13 de marzo, los poderes del Congreso de Viena declararon a Napoleón un forajido. Cuatro días después, Gran Bretaña, Rusia, Austria y Prusia se comprometieron a poner 150.000 hombres cada uno en el campo para poner fin a su dominio.

Napoleón llegó a París el 20 de marzo y gobernó durante un período que ahora se llama los Cien Días. A principios de junio las fuerzas armadas a su disposición habían alcanzado las 200.000, y decidió pasar a la ofensiva para intentar abrir una brecha entre los ejércitos británico y prusiano. El Ejército Francés del Norte cruzó la frontera con el Reino Unido de los Países Bajos, en la actual Bélgica.

Las fuerzas de Napoleón lucharon contra dos ejércitos de la Coalición, comandados por el duque británico de Wellington y el príncipe prusiano Blücher, en la batalla de Waterloo el 18 de junio de 1815. El ejército de Wellington resistió los repetidos ataques de los franceses y los expulsó del campo de batalla, mientras que los prusianos llegaron con fuerza y rompieron el flanco derecho de Napoleón.

Napoleón regresó a París y se encontró con que tanto la legislatura como el pueblo se habían vuelto en su contra. Dándose cuenta de que su posición era insostenible, abdicó el 22 de junio a favor de su hijo. Dejó París tres días después y se instaló en el antiguo palacio de Josefina en Malmaison (en la orilla occidental del Sena, a unos 17 kilómetros al oeste de París). Incluso mientras Napoleón viajaba a París, las fuerzas de la Coalición barrieron Francia (llegando a las cercanías de París el 29 de junio), con la intención declarada de devolver a Luis XVIII al trono francés.

Cuando Napoleón se enteró de que las tropas prusianas tenían órdenes de capturarlo vivo o muerto, huyó a Rochefort, considerando la posibilidad de escapar a los Estados Unidos. Los barcos británicos estaban bloqueando todos los puertos. Napoleón se rindió al Capitán Frederick Maitland en el HMS *Bellerophon* el 15 de julio de 1815.

Exilio en Santa Helena

Los británicos mantuvieron a Napoleón en la isla de Santa Elena en el Océano Atlántico, a 1.870 km de la costa occidental de África. También tomaron la precaución de enviar una guarnición de soldados a la deshabitada isla de la Ascensión, que se encontraba entre Santa Elena y Europa.

Napoleón fue trasladado a Longwood House en Santa Elena en diciembre de 1815; estaba en mal estado y el lugar era húmedo, azotado por el viento e insalubre.

El Times publicó artículos insinuando que el gobierno británico intentaba acelerar su muerte. Napoleón se quejaba a menudo de las condiciones de vida en cartas al gobernador y a su custodio, Hudson Lowe, mientras que sus asistentes se quejaban de "resfriados, catarros, suelos húmedos y malas provisiones". Los científicos modernos han especulado que su enfermedad posterior puede haber surgido por envenenamiento con arsénico causado por el arsenito de cobre del papel pintado de Longwood House.

Con un pequeño grupo de seguidores, Napoleón dictó sus memorias y se quejó de las condiciones. Lowe recortó los gastos de Napoleón, dictaminó que no se permitían regalos si mencionaban su estatus imperial, e hizo que sus partidarios firmaran una garantía de que se quedarían con el prisionero indefinidamente.

En el exilio, Napoleón escribió un libro sobre Julio César, uno de sus grandes héroes. También estudió inglés bajo la tutela del Conde Emmanuel de Las Cases con el objetivo principal de poder leer periódicos y libros ingleses, ya que el acceso a los periódicos y libros franceses estaba muy restringido para él en Santa Elena.

Hubo rumores de complots e incluso de su fuga, pero en realidad no hubo intentos serios. Para el poeta inglés Lord Byron, Napoleón era el epítome del héroe romántico, el genio perseguido, solitario y defectuoso.

Muerte

"La muerte no es nada, pero vivir derrotado e ignominioso es morir a diario". - Napoleón Bonaparte

El médico personal de Napoleón, Barry O'Meara, advirtió a Londres que el declive de su estado de salud se debía principalmente al duro tratamiento. Napoleón se confinó durante meses en su húmeda y miserable morada de Longwood.

En febrero de 1821, la salud de Napoleón comenzó a deteriorarse rápidamente, y se reconcilió con la Iglesia Católica. Murió el 5 de mayo de 1821, después de la confesión, la Extremaunción y el Viático en presencia del Padre Ange Vignali. Sus últimas palabras fueron: *Francia, l'armée, tête d'armée, Joséphine* ("Francia, el ejército, jefe del ejército, Joséphine").

La máscara mortuoria original de Napoleón fue creada alrededor del 6 de mayo, aunque no está claro qué médico la creó. En su testamento, había pedido ser enterrado a orillas del Sena, pero el gobernador británico dijo que debía ser enterrado en Santa Elena, en el Valle de los Sauces.

En 1840, Luis Felipe I obtuvo permiso del gobierno británico para devolver los restos de Napoleón a Francia. Su ataúd fue abierto para confirmar que aún contenía al antiguo emperador. A pesar de haber estado muerto por casi 2 décadas, Napoleón había sido muy bien conservado y no se había descompuesto en absoluto.

El 15 de diciembre de 1840, se celebró un funeral de estado. El coche fúnebre se dirigió desde el Arco del Triunfo por los Campos Elíseos, a través de la Plaza de la Concordia hasta la Explanada de los Inválidos y luego a la cúpula de la Capilla de San Jerónimo, donde permaneció hasta que se completó la tumba diseñada por Louis Visconti.

En 1861, los restos de Napoleón fueron enterrados en un sarcófago de piedra de pórfido en la cripta bajo la cúpula de Les Invalides.

Causa de la muerte

La causa de su muerte ha sido debatida. El médico de Napoleón, François Carlo Antommarchi, dirigió la autopsia, que encontró que la causa de la muerte fue un cáncer de estómago. Antommarchi no firmó el informe oficial. El padre de Napoleón había muerto de cáncer de estómago, aunque aparentemente no se conocía en el momento de la autopsia. Antommarchi encontró evidencia de una úlcera de estómago; esta fue la explicación más conveniente para los británicos, que querían evitar las críticas sobre su cuidado de Napoleón.

En 1955, se publicaron los diarios del valet de Napoleón, Louis Marchand. Su descripción de Napoleón en los meses anteriores a su muerte llevó a Sten Forshufvud, en un artículo de 1961 en *Nature, a plantear* otras causas de su muerte, incluido el envenenamiento deliberado con arsénico. El arsénico se utilizó como veneno durante esa época porque era indetectable cuando se administraba durante un largo período.

Además, en un libro de 1978 con Ben Weider, Forshufvud señaló que el cuerpo de Napoleón se encontró bien conservado cuando fue trasladado en 1840. El arsénico es un conservante fuerte, y por lo tanto esto apoyaba la hipótesis del envenenamiento. Forshufvud y Weider observaron que Napoleón había intentado saciar la sed anormal bebiendo grandes cantidades de jarabe de avena que contenía compuestos de cianuro en las almendras utilizadas para dar sabor.

Sostuvieron que el tartrato de potasio utilizado en su tratamiento impedía que su estómago expulsara estos compuestos y que su sed era un síntoma del veneno. Su hipótesis era que el calomel que se le dio a Napoleón se convirtió en una sobredosis, lo que lo mató y dejó un extenso daño en los tejidos.

Según un artículo de 2007, el tipo de arsénico encontrado en el cabello de Napoleón era mineral, el más tóxico, y según el toxicólogo Patrick Kintz, esto apoyaba la conclusión de que fue asesinado.

Ha habido estudios modernos que han apoyado el hallazgo de la autopsia original. En un estudio de 2008, los investigadores analizaron muestras de pelo de Napoleón de toda su vida, así como muestras de su familia y otros contemporáneos. Todas las muestras tenían altos niveles de arsénico, aproximadamente 100 veces más altos que el promedio actual.

Según estos investigadores, el cuerpo de Napoleón ya estaba muy contaminado con arsénico cuando era niño, y la alta concentración de arsénico en su cabello no fue causada por envenenamiento intencional; las personas estuvieron constantemente expuestas al arsénico de los pegamentos y tintes durante toda su vida.

Los estudios publicados en 2007 y 2008 descartaron las pruebas de envenenamiento por arsénico y confirmaron que la úlcera péptica y el cáncer gástrico eran la causa de la muerte.

Religión

Napoleón fue bautizado en Ajaccio el 21 de julio de 1771. Se crió como católico pero nunca desarrolló mucha fe. De adulto, Napoleón era un deísta, que creía en un Dios ausente y distante. Sin embargo, tenía una gran apreciación del poder de la religión organizada en los asuntos sociales y políticos, y prestó mucha atención a doblarla a sus propósitos. Notó la influencia de los rituales y esplendores del catolicismo.

Napoleón se casó civilmente con Joséphine de Beauharnais, sin ceremonia religiosa. Napoleón fue coronado emperador el 2 de diciembre de 1804 en Notre-Dame de Paris en una ceremonia presidida por el Papa Pío VII.

En la víspera de la ceremonia de coronación, y por insistencia del Papa Pío VII, se celebró una boda religiosa privada de Napoleón y Josefina. El Cardenal Fesch realizó la boda. Este matrimonio fue anulado por los tribunales bajo el control de Napoleón en enero de 1810.

El 1 de abril de 1810, Napoleón se casó con la princesa austriaca María Luisa en una ceremonia católica. Napoleón fue excomulgado por la Iglesia Católica, pero más tarde se reconcilió con la Iglesia antes de su muerte en 1821. Mientras estaba exiliado en Santa Helena, se dice que dijo: "Conozco a los hombres; y os digo que Jesucristo no es un hombre".

Concordato

Buscando la reconciliación nacional entre revolucionarios y católicos, el Concordato de 1801 fue firmado el 15 de julio de 1801 entre Napoleón y el Papa Pío VII. Solidificó a la Iglesia Católica Romana como la iglesia mayoritaria de Francia y le devolvió la mayor parte de su estado civil.

La hostilidad de los católicos devotos contra el estado ya se había resuelto en gran parte. El Concordato no restauró las vastas tierras de la Iglesia y los donativos que habían sido confiscados durante la revolución y vendidos. Como parte del Concordato, Napoleón presentó otro conjunto de leyes llamadas los Artículos Orgánicos.

Mientras que el Concordato devolvió mucho poder al papado, el equilibrio de las relaciones iglesia-estado se había inclinado firmemente a favor de Napoleón. Seleccionó a los obispos y supervisó las finanzas de la iglesia. Tanto Napoleón como el Papa encontraron útil el Concordato. Arreglos similares se hicieron con la Iglesia en territorios controlados por Napoleón, especialmente en Italia y Alemania. Ahora, Napoleón podía ganarse el favor de los católicos mientras controlaba Roma en un sentido político.

Napoleón dijo en abril de 1801, "Los conquistadores hábiles no se enredan con los sacerdotes. Pueden contenerlos y usarlos". A los niños franceses se les dio un catecismo que les enseñaba a amar y respetar a Napoleón.

Arresto del Papa Pío VII

En 1809, bajo las órdenes de Napoleón, el Papa Pío VII fue puesto bajo arresto en Italia, y en 1812 el prisionero Pontífice fue transferido a Francia, siendo retenido en el Palacio de Fontainebleau. Debido a que el arresto se hizo de manera clandestina, algunas fuentes lo describen como un secuestro.

En enero de 1813, Napoleón obligó personalmente al Papa a firmar un humillante "Concordato de Fontainebleau" que fue posteriormente repudiado por el Pontífice. El Papa no fue liberado hasta 1814, cuando la Coalición invadió Francia.

La emancipación religiosa

"La religión es, de hecho, el dominio del alma; es la esperanza, el ancla de la seguridad, la liberación del mal. ¡Qué servicio ha prestado el cristianismo a la humanidad!" - Napoleón Bonaparte

Napoleón emancipó a los judíos, así como a los protestantes en los países católicos y a los católicos en los países protestantes, de las leyes que los restringían a los guetos, y amplió sus derechos a la propiedad, el culto y las carreras.

A pesar de la reacción antisemita a las políticas de Napoleón por parte de gobiernos extranjeros y dentro de Francia, creía que la emancipación beneficiaría a Francia al atraer a los judíos al país dadas las restricciones a las que se enfrentaban en otros lugares.

En 1806 una asamblea de notables judíos fue reunida por Napoleón para discutir 12 cuestiones que trataban ampliamente de las relaciones entre judíos y cristianos, así como otras cuestiones relacionadas con la capacidad de los judíos para integrarse en la sociedad francesa. Más tarde, después de que las preguntas fueran respondidas de manera satisfactoria según el Emperador, se reunió un "gran Sanedrín" para transformar las respuestas en decisiones que constituirían la base del futuro estatus de los judíos en Francia y en el resto del imperio que Napoleón estaba construyendo.

Declaró: "Nunca aceptaré ninguna propuesta que obligue al pueblo judío a abandonar Francia, porque para mí los judíos son iguales a cualquier otro ciudadano de nuestro país. Se necesita debilidad para echarlos del país, pero se necesita fuerza para asimilarlos". Fue visto tan favorable a los judíos que la Iglesia Ortodoxa Rusa lo condenó formalmente como "Anticristo y enemigo de Dios".

Un año después de la última reunión del Sanedrín, el 17 de marzo de 1808, Napoleón puso a los judíos en libertad condicional. Varias nuevas leyes que restringían la ciudadanía que se había ofrecido a los judíos 17 años antes fueron instituidas en ese momento.

Sin embargo, a pesar de la presión de los líderes de varias comunidades cristianas para que se abstuvieran de conceder la emancipación a los judíos, en el plazo de un año desde la emisión de las nuevas restricciones, se levantaron de nuevo en respuesta al llamamiento de los judíos de toda Francia.

Masonería

No se sabe con certeza si Napoleón fue iniciado en la masonería.

Como emperador, nombró a sus hermanos a los oficios masónicos bajo su jurisdicción: Luis recibió el título de Vice Gran Maestro en 1805; Jerónimo el título de Gran Maestro del Gran Oriente de Westfalia; José fue nombrado Gran Maestro del Gran Oriente de Francia; y finalmente Lucien fue miembro del Gran Oriente de Francia.

Personalidad

Los historiadores enfatizan la fuerza de la ambición que llevó a Napoleón de una oscura aldea a comandar la mayor parte de Europa. Estudios académicos profundos sobre su vida temprana concluyen que hasta los 2 años de edad, tuvo una "gentil disposición". Su hermano mayor, José, recibía con frecuencia la atención de su madre, lo que hacía que Napoleón fuera más asertivo y se sintiera más seguro de sí mismo.

Durante sus primeros años de escolaridad sería duramente intimidado por sus compañeros de clase por su identidad corsa y el control de la lengua francesa. Para soportar el estrés se volvió dominante, desarrollando eventualmente un complejo de inferioridad.

George F. E. Rudé destaca su "rara combinación de voluntad, intelecto y vigor físico". En situaciones de uno a uno, típicamente tenía un efecto hipnótico en las personas, aparentemente inclinando a los líderes más fuertes hacia su voluntad. Entendía la tecnología militar, pero no era un innovador en ese sentido. Era un innovador en el uso de los recursos financieros, burocráticos y diplomáticos de Francia. Podía dictar rápidamente una serie de órdenes complejas a sus subordinados, teniendo en cuenta dónde se esperaba que estuvieran las unidades principales en cada punto futuro, y como un maestro de ajedrez, "viendo" las mejores jugadas en el futuro.

Napoleón mantuvo hábitos de trabajo estrictos y eficientes, dando prioridad a lo que había que hacer. Hacía trampas en las cartas, pero devolvía las pérdidas; tenía que ganar en todo lo que intentaba. Mantenía relevos de personal y secretarias en el trabajo.

A diferencia de muchos generales, Napoleón no examinó la historia para preguntar qué hizo Aníbal o Alejandro o cualquier otra persona en una situación similar. Los críticos dijeron que ganó muchas batallas simplemente por suerte; Napoleón respondió: "Denme generales afortunados", argumentando que la "suerte" llega a los líderes que reconocen la oportunidad y la aprovechan.

Dwyer afirma que las victorias de Napoleón en Austerlitz y Jena en 1805-06 aumentaron su sentido de auto-grandiosidad, dejándole aún más seguro de su destino e invencibilidad. "Soy de la raza que funda imperios", se jactaba una vez, considerándose un heredero de los antiguos romanos.

En términos de influencia en los eventos, fue más que la personalidad de Napoleón lo que tuvo efecto. Reorganizó la propia Francia para suministrar los hombres y el dinero necesarios para las guerras. Inspiró a sus hombres - el Duque de Wellington dijo que su presencia en el campo de batalla valía 40.000 soldados, ya que inspiraba confianza a los soldados rasos y a los mariscales de campo. También puso nervioso al enemigo.

En la batalla de Auerstadt en 1806, las fuerzas del rey Federico Guillermo III de Prusia superaron a las francesas en 63.000 a 27.000; sin embargo, cuando se le dijo, erróneamente, que Napoleón estaba al mando, ordenó una retirada apresurada que se convirtió en una derrota. La fuerza de su personalidad neutralizó las dificultades materiales mientras sus soldados luchaban con la confianza de que con Napoleón al mando ganarían con seguridad.

Imagen

"La gran ambición es la pasión de un gran personaje. Los que están dotados de ella pueden realizar actos muy buenos o muy malos. Todo depende de los principios que los dirigen." - Napoleón Bonaparte

Napoleón se ha convertido en un icono cultural mundial que simboliza el genio militar y el poder político. Martin van Creveld lo describió como "el ser humano más competente que jamás haya existido". Desde su muerte, muchos pueblos, calles, barcos e incluso personajes de dibujos animados han sido nombrados en su honor. Ha sido retratado en cientos de películas y discutido en cientos de miles de libros y artículos.

Cuando se le conoció en persona, muchos de sus contemporáneos se sorprendieron por su apariencia física aparentemente poco llamativa en contraste con sus importantes hechos y su reputación, especialmente en su juventud, cuando se le describió sistemáticamente como pequeño y delgado.

Joseph Farington, que observó a Napoleón personalmente en 1802, comentó que "Samuel Rogers se alejó un poco de mí y ... parecía estar decepcionado por la mirada del rostro [de Napoleón] y dijo que era la de un pequeño italiano". Farington dijo que los ojos de Napoleón eran "más claros, y más grises, de lo que debería haber esperado de su tez", que "su persona es de tamaño inferior al medio", y que "su aspecto general era más suave de lo que había pensado antes".

Un amigo personal de Napoleón dijo que cuando lo conoció en Brienne-le-Château de joven, Napoleón sólo se destacó "por el color oscuro de su tez, por su mirada penetrante y escrutadora y por el estilo de su conversación"; también dijo que Napoleón era personalmente un hombre serio y sombrío: "su conversación tenía la apariencia de mal humor, y ciertamente no era muy amigable."

Johann Ludwig Wurstemberger, que acompañó a Napoleón desde el Campo de Fornio en 1797 y en la campaña suiza de 1798, observó que "Bonaparte era más bien delgado y de aspecto demacrado; su rostro también era muy delgado, de tez oscura... su pelo negro y sin polvo colgaba uniformemente sobre ambos hombros", pero que, a pesar de su apariencia delgada y descuidada, "su aspecto y expresión eran serios y poderosos".

Denis Davydov lo conoció personalmente y lo consideró de apariencia notablemente promedio: "Su rostro era ligeramente moreno, con rasgos regulares. Su nariz no era muy grande, sino recta, con una ligera y apenas perceptible curva. El pelo de su cabeza era rubio rojizo oscuro; sus cejas y pestañas eran mucho más oscuras que el color de su pelo, y sus ojos azules, marcados por las pestañas casi negras, le daban una expresión muy agradable... El hombre que vi era de baja estatura, poco más de un metro y medio de altura, bastante pesado aunque sólo tenía 37 años".

Durante las guerras napoleónicas fue tomado en serio por la prensa británica como un tirano peligroso, listo para invadir. Napoleón fue burlado en los periódicos británicos como un pequeño hombre de mal genio y fue apodado

"Pequeño Boney en un fuerte ataque". Una canción infantil advertía a los niños que Bonaparte comía vorazmente a los traviesos; el "hombre del saco".

Con 1,57 metros, tenía la estatura de un hombre francés medio pero era bajo para un aristócrata u oficial (parte de la razón por la que se le asignó a la artillería, ya que en esa época la infantería y la caballería requerían más figuras de mando). Es posible que fuera más alto con 1,70 m debido a la diferencia en la medida francesa de pulgadas.

Algunos historiadores creen que la razón del error acerca de su tamaño al morir se debió al uso de una vieja vara de medir francesa obsoleta (un pie francés equivale a 33 cm, mientras que un pie inglés equivale a 30,47 cm). Napoleón era un campeón del sistema métrico y no tenía uso para las viejas varas de medir.

Es más probable que tuviera 1,57 m, la altura a la que se le midió en Santa Elena (una isla británica), ya que lo más probable es que se le hubiera medido con una vara inglesa en lugar de una vara del antiguo régimen francés. Napoleón se rodeó de altos guardaespaldas y fue apodado cariñosamente *le petit caporal* (el pequeño cabo), lo que refleja su supuesta camaradería con sus soldados más que su estatura.

Cuando se convirtió en Primer Cónsul y más tarde en Emperador, Napoleón evitó el uniforme de su general y usó habitualmente el uniforme de coronel verde (no húsar) de un coronel del Chasseur à Cheval de la Guardia Imperial, el regimiento que le sirvió de escolta personal muchas veces, con una gran bicorne. También llevaba habitualmente (normalmente los domingos) el uniforme azul de un coronel de los granaderos de a pie de la Guardia Imperial (azul con facetas blancas y puños rojos). También llevaba su estrella, medalla y cinta de la Legión de Honor, y las condecoraciones de la Orden de la Corona de Hierro, culottes blancos de estilo francés y medias blancas. Esto contrastaba con los complejos uniformes con muchas decoraciones de sus mariscales y de los que le rodeaban.

En sus últimos años ganó bastante peso y tenía una tez considerada pálida o pálida, algo de lo que sus contemporáneos tomaron nota.

El novelista Paul de Kock, que lo vio en 1811 en el balcón de las Tullerías, llamó a Napoleón "amarillo, obeso e hinchado". Un capitán británico que lo conoció en 1815 declaró: "Me sentí muy decepcionado, como creo que todos los demás, por su apariencia... Es gordo, más bien lo que llamamos barrigón, y aunque su pierna está bien formada, es bastante torpe ... Es muy pálido, con ojos gris claro, y un pelo marrón bastante fino y grasiento, y en conjunto un tipo muy desagradable, con aspecto de sacerdote."

El personaje de la acción de Napoleón es un "pequeño tirano" cómicamente corto y esto se ha convertido en un cliché en la cultura popular. A menudo es retratado con un gran sombrero bicorne con un gesto de mano en el chaleco, en referencia a la pintura producida en 1812 por Jacques-Louis David. En 1908 Alfred Adler, un psicólogo, citó a Napoleón para describir un complejo de inferioridad en el que las personas bajas adoptan un comportamiento excesivamente agresivo para compensar la falta de altura; esto inspiró el término *complejo de Napoleón*.

Reformas

Napoleón instituyó varias reformas, como la educación superior, un código fiscal, sistemas de carreteras y alcantarillado, y estableció el Banco de Francia, el primer banco central de la historia de Francia. Negoció el Concordato de 1801 con la Iglesia Católica, que buscaba reconciliar a la población mayoritariamente católica con su régimen. Se presentó junto con los Artículos Orgánicos, que regulaban el culto público en Francia. Disolvió el Sacro Imperio Romano antes de la unificación alemana, más tarde en el siglo XIX. La venta del Territorio de Luisiana a los Estados Unidos duplicó el tamaño de los Estados Unidos.

En mayo de 1802, instituyó la Legión de Honor, un sustituto de las antiguas condecoraciones realistas y órdenes de caballería, para fomentar los logros civiles y militares; la orden sigue siendo la más alta condecoración de Francia.

Código Napoleónico

El conjunto de leyes civiles de Napoleón, el *Código Civil* -*ahora* a menudo conocido como el Código Napoleón- fue preparado por comités de expertos legales bajo la supervisión de Jean Jacques Régis de Cambacérès, el *Segundo Cónsul*. Napoleón participó activamente en las sesiones del Consejo de Estado que revisó los proyectos.

La elaboración del código supuso un cambio fundamental en la naturaleza del sistema jurídico de derecho civil, con su énfasis en un derecho claramente escrito y accesible. Napoleón encargó a otros códigos ("Les cinq codes") que codificaran el derecho penal y el derecho mercantil; se publicó un Código de Instrucción Penal, que promulgaba normas sobre el debido proceso.

El código napoleónico se adoptó en gran parte de la Europa continental, aunque sólo en las tierras que conquistó, y permaneció vigente después de la derrota de Napoleón. Napoleón dijo: "Mi verdadera gloria no es haber ganado cuarenta batallas... Waterloo borrará el recuerdo de tantas victorias. ... ... lo que vivirá para siempre, es mi Código Civil". El Código influye en una cuarta parte de las jurisdicciones del mundo como la de Europa continental, América y África.

Dieter Langewiesche describió el código como un "proyecto revolucionario" que impulsó el desarrollo de la sociedad burguesa en Alemania mediante la extensión del derecho a la propiedad y una aceleración hacia el fin del feudalismo. Napoleón reorganizó lo que había sido el Sacro Imperio Romano Germánico, formado por más de mil entidades, en una Confederación de cuarenta estados más racionalizada del Rin; esto ayudó a promover la Confederación Alemana y la unificación de Alemania en 1871.

El movimiento hacia la unificación nacional en Italia fue igualmente precipitado por el dominio napoleónico. Estos cambios contribuyeron al desarrollo del nacionalismo y del estado nacional.

Napoleón llevó a cabo una amplia gama de reformas liberales en Francia y en toda la Europa continental, especialmente en Italia y Alemania, como resume el historiador británico Andrew Roberts:

Las ideas que sostienen nuestro mundo moderno - la meritocracia, la igualdad ante la ley, los derechos de propiedad, la tolerancia religiosa, la educación secular moderna, las finanzas sanas, etc. - fueron defendidas, consolidadas, codificadas y extendidas geográficamente por Napoleón. A ellos añadió una administración local racional y eficiente, el fin del bandolerismo rural, el fomento de las ciencias y las artes, la abolición del feudalismo y la mayor codificación de las leyes desde la caída del Imperio Romano.

Napoleón derrocó directamente los restos del feudalismo en gran parte de la Europa continental occidental. Liberalizó las leyes de propiedad, terminó con las cuotas señoriales, abolió el gremio de comerciantes y artesanos para facilitar el espíritu empresarial, legalizó el divorcio, cerró los guetos judíos e hizo a los judíos iguales a todos los demás.

La Inquisición terminó al igual que el Sacro Imperio Romano Germánico. El poder de los tribunales de la iglesia y la autoridad religiosa se redujo drásticamente y se proclamó la igualdad ante la ley para todos los hombres.

"Las leyes de la circunstancia son abolidas por las nuevas circunstancias". - Napoleón Bonaparte

Guerra

En el campo de la organización militar, Napoleón tomó prestado de teóricos anteriores como Jacques Antoine Hippolyte, Conde de Guibert, y de las reformas de los gobiernos franceses precedentes, y luego desarrolló mucho de lo que ya existía. Continuó la política, que surgió de la Revolución, de promoción basada principalmente en el mérito.

Los cuerpos reemplazaron a las divisiones como las unidades más grandes del ejército, la artillería móvil se integró en las baterías de reserva, el sistema de personal se hizo más fluido y la caballería volvió como una formación importante en la doctrina militar francesa. Estos métodos son ahora referidos como características esenciales de la guerra napoleónica. Aunque consolidó la práctica de la conscripción moderna introducida por el Directorio, uno de los primeros actos de la monarquía restaurada fue ponerle fin.

Sus oponentes aprendieron de las innovaciones de Napoleón. La creciente importancia de la artillería después de 1807 se debió a la creación de una fuerza de artillería muy móvil, al aumento del número de artilleros y a los cambios en las prácticas de artillería.

Como resultado de estos factores, Napoleón, en lugar de depender de la infantería para desgastar las defensas del enemigo, ahora podía utilizar la artillería masiva como punta de lanza para golpear una ruptura en la línea del enemigo que luego era explotada por la infantería y la caballería de apoyo. McConachy rechaza la teoría alternativa de que la creciente dependencia de la artillería por parte del ejército francés a partir de 1807 fue una consecuencia de la disminución de la calidad de la infantería francesa y, más tarde, de la inferioridad de Francia en cuanto a número de caballería. Las armas y otros tipos de tecnología militar permanecieron estáticas durante las eras revolucionaria y napoleónica, pero la movilidad operacional del siglo XVIII sufrió cambios.

La mayor influencia de Napoleón fue en la conducción de la guerra. Antoine-Henri Jomini explicó los métodos de Napoleón en un libro de texto muy utilizado que influyó en todos los ejércitos europeos y americanos. Napoleón fue considerado por el influyente teórico militar Carl von Clausewitz como un genio en el arte operacional de la guerra, y los historiadores lo califican como un gran comandante militar. Wellington, cuando se le preguntó quién era el más grande general de la época, respondió: "En esta época, en épocas pasadas, en cualquier época, Napoleón".

Bajo Napoleón, surgió un nuevo énfasis hacia la destrucción, no sólo de las maniobras, de los ejércitos enemigos. Las invasiones de territorio enemigo ocurrieron en frentes más amplios, lo que hizo que las guerras fueran más costosas y decisivas. El efecto político de la guerra aumentó; la derrota para una potencia europea significaba más que la pérdida de enclaves aislados. Las paces casi cartaginesas entrelazaron esfuerzos nacionales enteros, intensificando el fenómeno revolucionario de la guerra total.

Sistema métrico

La introducción oficial del sistema métrico en septiembre de 1799 fue impopular en grandes sectores de la sociedad francesa. El gobierno de Napoleón ayudó enormemente a la adopción del nuevo estándar no sólo en toda Francia sino también en la esfera de influencia francesa.

Napoleón dio un paso atrás en 1812 cuando aprobó la legislación para introducir las *mesures usuelles* (unidades de medida tradicionales) para el comercio al por menor, un sistema de medida que se asemejaba a las unidades pre-revolucionarias pero que se basaba en el kilogramo y el metro; por ejemplo, el livre *metrique (libra métrica)* era de 500 g, en contraste con el valor del *livre du roi (la libra del* rey), 489,5 g.

Otras unidades de medida fueron redondeadas de manera similar antes de la introducción definitiva del sistema métrico en algunas partes de Europa a mediados del siglo XIX.

Educación

Las reformas educativas de Napoleón sentaron las bases de un sistema educativo moderno en Francia y en gran parte de Europa. Napoleón sintetizó los mejores elementos académicos del Antiguo *Régimen*, la Ilustración y la Revolución, con el objetivo de establecer una sociedad estable, bien educada y próspera. Hizo del francés el único idioma oficial. Dejó parte de la educación primaria en manos de las órdenes religiosas, pero ofreció apoyo público a la educación secundaria. Napoleón fundó varias escuelas secundarias estatales (*lycées*) diseñadas para producir una educación estandarizada y uniforme en toda Francia.

A todos los estudiantes se les enseñaron las ciencias junto con las lenguas modernas y clásicas. A diferencia del sistema durante el Antiguo *Régimen*, los temas religiosos no dominaban el plan de estudios, aunque estaban presentes con los profesores del clero.

Napoleón esperaba usar la religión para producir estabilidad social. Prestó especial atención a los centros avanzados, como la École Polytechnique, que proporcionaba tanto experiencia militar como investigación de vanguardia en la ciencia. Napoleón hizo algunos de los primeros esfuerzos para establecer un sistema de educación pública y secular. El sistema ofrecía becas y una disciplina estricta, con el resultado de un sistema educativo francés que superaba a sus homólogos europeos, muchos de los cuales tomaban prestado del sistema francés.

Memoria y evaluación

Críticas

En el ámbito político, los historiadores debaten si Napoleón fue "un déspota ilustrado que sentó las bases de la Europa moderna" o "un megalómano que causó más miseria que ningún hombre antes de la llegada de Hitler". Muchos historiadores han llegado a la conclusión de que tenía grandes ambiciones de política exterior.

Las potencias continentales, hasta 1808, estaban dispuestas a darle casi todas sus ganancias y títulos, pero algunos estudiosos sostienen que era demasiado agresivo y presionado por demasiado, hasta que su imperio se derrumbó.

Napoleón puso fin a la anarquía y el desorden en la Francia posrevolucionaria. Fue considerado un tirano y usurpador por sus oponentes. Sus críticos afirman que no se preocupó ante la perspectiva de la guerra y la muerte de miles de personas, convirtió su búsqueda de un gobierno indiscutible en una serie de conflictos en toda Europa e ignoró los tratados y convenciones por igual. Su papel en la revolución haitiana y la decisión de reinstaurar la esclavitud en las colonias de ultramar de Francia son controvertidos y afectan a su reputación.

Napoleón institucionalizó el saqueo de los territorios conquistados: Los museos franceses contienen arte robado por las fuerzas de Napoleón de toda Europa. Los artefactos fueron llevados al Museo del Louvre para un gran museo central; su ejemplo serviría más tarde como inspiración para imitadores más notorios. El historiador Pieter Geyl lo comparó con Adolf Hitler en 1947 y Claude Ribbe en 2005.

David G. Chandler, historiador de la guerra napoleónica, escribió en 1973 que "nada podría ser más degradante para el primero [Napoleón] y más halagador para el segundo [Hitler]". La comparación es odiosa. En general, Napoleón se inspiró en un noble sueño, totalmente diferente al de Hitler ... Napoleón dejó grandes y duraderos testimonios de su genio, en códigos de derecho e identidades nacionales que perduran hasta hoy. Adolf Hitler no dejó nada más que destrucción".

Los críticos sostienen que el verdadero legado de Napoleón debe reflejar la pérdida de estatus de Francia y las muertes innecesarias que trajo su gobierno: el historiador Victor Davis Hanson escribe: "Después de todo, el récord militar es incuestionable: 17 años de guerras, quizás seis millones de europeos muertos, Francia en bancarrota, sus colonias de ultramar perdidas". McLynn afirma que, "Puede ser visto como el hombre que retrasó la vida económica europea durante una generación por el impacto dislocante de sus guerras."

Vincent Cronin responde que esas críticas se basan en la premisa errónea de que Napoleón fue responsable de las guerras que llevan su nombre, cuando en realidad Francia fue víctima de una serie de coaliciones que pretendían destruir los ideales de la Revolución.

El historiador militar británico Correlli Barnett lo llama "un inadaptado social" que explotó a Francia para sus objetivos personales megalómanos. Dice que la reputación de Napoleón es exagerada. El académico francés Jean Tulard proporcionó un influyente relato de su imagen como salvador. Louis Bergeron ha alabado los numerosos cambios que hizo en la sociedad francesa, especialmente en lo que respecta a la ley y la educación. Su mayor fracaso fue la invasión rusa.

Muchos historiadores han culpado a Napoleón de su mala planificación, pero los estudiosos rusos enfatizan la respuesta rusa, señalando que el notorio clima invernal fue igual de duro para los defensores.

La amplia y creciente historiografía en francés, inglés, ruso, español y otros idiomas ha sido resumida y evaluada por numerosos estudiosos.

"La historia es un conjunto de mentiras acordadas". - Napoleón Bonaparte

Propaganda y memoria

El uso de la propaganda por parte de Napoleón contribuyó a su ascenso al poder, legitimó su régimen y estableció su imagen para la posteridad. La estricta censura, el control de aspectos de la prensa, los libros, el teatro y el arte formaban parte de su plan de propaganda, con el objetivo de presentarlo como el portador de la paz y la estabilidad que tanto deseaba Francia. La retórica propagandística cambió en relación con los acontecimientos y con la atmósfera del reinado de Napoleón, centrándose primero en su papel de general en el ejército y en su identificación como soldado, y pasando a su papel de emperador y líder civil.

Dirigiéndose específicamente a su público civil, Napoleón fomentó una relación con la comunidad artística contemporánea, tomando un papel activo en el encargo y control de diferentes formas de producción de arte para adecuarse a sus objetivos de propaganda.
En Inglaterra, Rusia y en toda Europa, aunque no en Francia, Napoleón era un tema popular de caricatura.

Hazareesingh (2004) explora cómo se entiende mejor la imagen y la memoria de Napoleón. Desempeñaron un papel clave en el desafío político colectivo a la monarquía de la restauración borbónica en 1815-1830. Personas de diferentes ámbitos y zonas de Francia, en particular los veteranos napoleónicos, se inspiraron en el legado napoleónico y sus conexiones con los ideales de la Revolución de 1789.

Los rumores generalizados sobre el regreso de Napoleón de Santa Elena y de Napoleón como inspiración para el patriotismo, las libertades individuales y colectivas y la movilización política se manifestaron en materiales sediciosos, exhibiendo el tricolor y los rosetones. También hubo actividades subversivas que celebraron los aniversarios de la vida y el reinado de Napoleón e interrumpieron las celebraciones reales; demostraron el objetivo prevaleciente y exitoso de los diversos partidarios de Napoleón de desestabilizar constantemente el régimen de los Borbones.

Datta (2005) muestra que, tras el colapso del boulangismo militarista a finales del decenio de 1880, la leyenda napoleónica se divorció de la política partidista y revivió en la cultura popular. Concentrándose en dos obras de

97

teatro y dos novelas de la época -Madame *Sans-Gêne* (1893) de Victorien *Sardou, Les Déracinés* (1897) de Maurice Barrès, *L'Aiglon* (1900) de Edmond Rostand y *Napoléonette* (1913) de André de Lorde y Gyp- Datta examina cómo los escritores y críticos de la *Belle Époque* explotaron la leyenda napoleónica con diversos fines políticos y culturales. Reducido a un personaje menor, el nuevo Napoleón ficticio se convirtió no en una figura histórica mundial sino en una figura íntima, moldeada por las necesidades de los individuos y consumida como entretenimiento popular.

En sus intentos de representar al emperador como una figura de unidad nacional, los defensores y detractores de la Tercera República utilizaron la leyenda como vehículo para explorar las ansiedades sobre el género y los temores sobre los procesos de democratización que acompañaron a esta nueva era de política y cultura de masas.

Los Congresos Napoleónicos Internacionales se celebran regularmente, con la participación de miembros del ejército francés y americano, políticos franceses y académicos de diferentes países.

En enero de 2012, el alcalde de Montereau-Fault-Yonne, cerca de París -el lugar de una victoria tardía de Napoleón- propuso la construcción del Vivaque de Napoleón, un parque temático conmemorativo con un costo proyectado de 200 millones de euros.

Disfruta de todos nuestros libros gratis...

  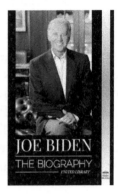

Interesantes biografías, atractivas presentaciones y más.
Únete al exclusivo club de críticos de la Biblioteca
Unida!
Recibirás un nuevo libro en tu buzón cada viernes.
Únase a nosotros hoy, vaya a:
https://campsite.bio/unitedlibrary

LIBROS DE LA BIBLIOTECA UNIDA
Kamala Harris: La biografía
Barack Obama: La biografía
Joe Biden: La biografía
Adolf Hitler: La biografía
Albert Einstein: La biografía
Aristóteles: La biografía
Donald Trump: La biografía
Marco Aurelio: La biografía
Napoleón Bonaparte: La biografía
Nikola Tesla: La biografía
Papa Benedicto: La biografía
El Papa Francisco: La biografía
Y más...

Vea todos nuestros libros publicados aquí:
https://campsite.bio/unitedlibrary

SOBRE LA BIBLIOTECA UNIDA

La Biblioteca Unida es un pequeño grupo de escritores entusiastas. Nuestro objetivo es siempre publicar libros que marquen la diferencia, y estamos muy preocupados por si un libro seguirá vivo en el futuro. United Library es una compañía independiente, fundada en 2010, y ahora publica alrededor de 50 libros al año.

Joseph Bryan - FUNDADOR/EDITOR DE GESTIÓN

Amy Patel - ARCHIVISTA Y ASISTENTE DE PUBLICACIÓN

Mary Kim - DIRECTORA DE OPERACIONES

Mary Brown - EDITORA Y TRADUCTORA

Terry Owen - EDITOR